Data Story

人を動かす
ストーリーテリング

Nancy Duarte 著

渡辺翔大・木村隆介・宮下彩乃 訳

共立出版

DataStory: Explain Data and Inspire Action Through Story
by Nancy Duarte

© 2019 by Nancy Duarte

Published by special arrangement with Ideapress Publishing in conjunction with their
duly appointed agent 2 Seas Literary Agency and co-agent Tuttle-Mori Agency, Inc.

Japanese language edition published by KYORITSU SHUPPAN CO., LTD.

素晴らしいデータの語り手である皆さんへ

訳者まえがき

　私たちの日常の中で、可視化されたデータを見ない日はなくなりました。バラエティテレビ番組では様々なアンケートの結果が、天気予報では温度の推移が、株価情報では株価の推移が、私たちの目に毎日のように飛び込んできます。

　同じくらい、私たち自身がデータを扱う機会も増えました。著者のナンシー・デュアルテ氏も述べているように、インターネットの発達により誰でも簡単に大量のデータが入手できるようになったからです。

　会社の報告会で、学校のレポート作成で、家庭の家計簿で、様々なシーンでデータを扱う機会があります。しかしながら、そのデータからわかったことを、他人に短時間でうまく伝えることがいかに難しく、そして大切なことか、一度でもデータを扱ったことがある人なら知っているはずです。あるときは社長に自分のプロジェクトがいかにメリットがあるかを伝えるため、あるときは学校を卒業するために自分の研究がいかに有用なのかを伝えるため、あるときは配偶者に無駄遣いを続ければ貯金がなくなってしまうことを伝えるため…。

　しかも厄介なことに、同じデータを扱っていても、伝え方次第で相手が感じる印象や理解は大きく変わってしまうのです。私は日頃、会社に所属してデザイナーとして働いていますが、この問題には大変悩まされました。

　仲間や上司から日々色々な質問をされます。「売上はこのままだとどれくらいになりそう？」「このプロジェクトの費用対効果は？」といった具合です。データを使ってこれらに答えようとしたとき、データをそのまま素直に書き起こすと大量の数字の集合になってしまいます。

　その大量の数字をそのまま質問した人に見せながら説明すると、長い時間がかかり、説明すればするほど聞いている人の顔はどんどんしかめっ面になっていきます。

　そして最後に決まってこう言うのです。「よくわからないから、もっとわかりやすく教えてくれよ」と。

　私は最初、デザイナーらしくデータをグラフに変え、整った見た目にすることでそれを解決しようとしました。しかし、うまくいきませんでした。データをどんなに綺麗なグラフに変えても、綺麗な見た目になっただけで相手には伝わらなかったのです。結局私に足りなかったものが、本書で繰り返し話されている、ストーリーとしてデータを伝える"データストーリーテリング"の技術であることだと気づくまでに、数年かかりました。

　本書は、データをストーリーとして語ることで、相手の考え方を導き、行動を変えるための技法や考え方が体系的にわかりやすく書かれている一冊です。読んでいただければ、あなたはレポートや報告書を書くとき、小説を執筆するようにデータを扱うことができるようになっているはずです。

　最後になりますが、翻訳・出版にあたって、ご協力いただいた共立出版株式会社の影山氏には大変お世話になりました。ここに記して謝意を表します。また、本書の翻訳・出版をサポートしてくれた家族にこの場を借りて感謝申し上げます。

2022 年 8 月

訳者を代表して　渡辺翔大

目　次

PART 4 ｜ データを記憶に焼き付ける

はじめに

ストーリーの科学を
理解する

データをストーリーというかたちで伝えるストーリーテリングは、他のコミュニケーションにはない方法で脳を活性化させます。人の脳はストーリーを聞かされているときに活性化します。ストーリーを聞いているときの脳を科学者が研究したことで、脳の活動を計測し、どの部位が活発に動いているかをマッピングできるようになりました。

ストーリーは私たちの感覚を刺激する

ストーリーは、直感的、感情的、理性的、身体的などあらゆるかたちで脳に働きかけます。ストーリーを聞くことで、脳は情報を理解しようとして活性化します。具体的には、感情を司る大脳辺縁系からやりがいや人とのつながりを感じる感情を刺激する化学物質が放出されます。ストーリーは、言語処理を司るブローカ野と、言語理解を司るウェルニッケ野を刺激します。この刺激は、運動野、聴覚野、嗅覚野、視覚野、海馬、扁桃体まで影響を及ぼします[1]。

私たちがあるストーリーに夢中になったとき、そのストーリーに対する共感は脳から始まります。この共感が身体的、感情的な反応を引き起こす最初のきっかけとなります。

ストーリーは私たちの絆を強める

ストーリーは、語り手と聞き手の間に強い結びつきをもたらします。ストーリーによって両者の思考、脳の活動、行動が同調するようになり、文字通り「カチカチ」と音を立て始めます。ストーリーを共有することで、経験という共通の土台を語り手と聞き手の間で築くことができます。また、ストーリーの話し言葉に込められた感情は、語り手と聞き手の感情を共有するための強力なツールとなります[2]。

ストーリーを聞いているときに感情が揺り動かされたと感じたことがあると思います。これは、ストーリーが話し言葉によって語られたことで引き起こされた感情を脳が物理的に処理しようとするためです。

ストーリーは私たちを感動させる

ストーリーには、語り手の語る世界に聞き手を入り込んだ感覚にさせる不思議な力があります。脳がストーリーから刺激を受けると、聞き手の感情は批判的な感情からポジティブな感情に移り変わります。一方で、脳が分析的に物事を処理すると、批判的な感情が占める割合が増え、ポジティブな感情が減る傾向があります。そのため、ストーリー性のある商品広告は、その商品を使い、効果を実感している自分の姿を消費者に想像させることで、彼らにその商品が欲しいと思わせることができるのです [3]。

聴衆に擬似的なスリルを与えることで、ストーリーの中心にいるヒーローは彼ら自身であるかのように感じさせることができます。

ストーリーは私たちの行動を促す

私たちの脳は、共感や緊迫感、苦痛といった反応を引き起こします。ある研究で、瀕死の息子と父親の関係を描いたストーリーを聞いた被験者の脳を測定したところ、「悲痛」と「共感」という2つの感情を強く感じたことがわかりました。具体的には、被験者の神経反応をストーリーを聞く前後で測定したところ、集中力に関係し、悲痛な気持ちを抱かせるコルチゾールと、共感に関連性のあるオキシトシンが急増していることがわかったのです。この研究による最も驚くべき発見は、ストーリーが脳内の化学物質を変化させることで、結果的に私たちに行動を起こさせることができるということでした [4]。

私たちの関心を惹きつけるストーリーは、他者との感情的なつながりをもたらすだけでなく、行動に移す動機となります。

データを
ストーリーに変換する

ストーリーが引き起こす共感は、私が CEO を務める Duarte, Inc. が最も大事にしていることです。ストーリーは人の心を惹きつけ、行動を促すために用いる手法です。本書では、データをストーリーにして伝えるためのテクニックを紹介します。データだけではストーリーは作れません。ここで重要なのは、データをストーリーにして伝えるためには語り手が必要だということです。

デジタル機器の普及とテクノロジーの進歩により、なにかしらの方法によって、あらゆる人、場所、物、アイデアがデータとして取得できるようになりました。データが取得できる一方で、データをストーリーというかたちで伝えなければ、そのデータに価値はありません。ではなぜストーリーテリングはそんなに重要なのでしょうか？ それは、人間の脳がストーリーを処理するようにできているからです。データを生き生きとした光景に変換し、ストーリーとして伝えることで、初めて視聴者にデータの内容に注目してもらうことができます。

Chip Heath と Dan Heath は、著書『Made to Stick（アイデアのちから）』の中で、Chip がスタンフォード大学のクラスで行った、データとストーリーそれぞれの記憶のしやすさに関する実験を取り上げています。この実験では、学生は提供された統計データを使って、犯罪について 1 分間のスピーチをしなければなりませんでした。1 分間のスピーチで、平均して 2.5 個の統計データを使用した学生が大半を占めていた一方で、ストーリー形式でスピーチした学生は 10 人に 1 人しかいませんでした。続いての実験で、学生にスピーチの内容を思い出してもらったところ、具体的な統計データを覚えていた学生はわずか 5% だったのに対し、ストーリー形式のスピーチの内容を覚えていた学生は 63% にものぼりました [5]。学生がストーリーを思い出すことができたのは、ストーリーが脳の中の感情を司る部分を活性化していたからです。

さて、データをストーリーにして伝えることを目的とした本書で、ストーリーをどのように定義したらよいでしょうか？ 本書で扱うストーリーに当てはまらないものとして、おとぎ話やフィクション、データを改ざんしたストーリーなどが挙げられます。一方で、ストーリーの本質的に強力な構造を利用して、聞き手があとから思い出して他者に語れるようなものが本書で扱うストーリーです。また、ストーリーは聞き手の心にメッセージが届くため、聞き手がどのように変化する必要があるのか、ということを受け入れやすくさせる力があります。

データはストーリーほど記憶に残らない

データ

冷たい、事実に基づく、客観的

5%

5%の学生しか具体的な統計データを覚えていなかった

vs.

ストーリー

温かい、感情に訴えかける、主観的

63%

63%もの学生がストーリーの内容を覚えていた

データをストーリーにして
メンバーをリードする

昨今、ビッグデータ、スモールデータ、ディープデータ[1]、シックデータ[2]と呼ばれるさまざまなデータ、そして機械学習、人工知能などが話題になっています。実際、多くの会社や組織が、私たちの生活の質の向上を目的に、データや機械学習、人工知能を用いたさまざまな問題解決に取り組んでいます。とはいえ、世の中の問題に対する解決策が必ずしもデータや機械学習、人工知能から出てくるわけではありません。

データとは過去に起こったイベントを数値、またはテキストで事実として記録したものです。過去に起こった事実を追求することは優れた意思決定に不可欠であり、データを扱う人こそが、過去に起こった事実の追求者なのです。しかし、キャリアを積んでリーダーというポジションに就くと、データを扱う時間よりも、チームのビジョンをメンバーに伝えることに時間を費やすようになります。データをストーリーにしてチームのビジョンをメンバーに伝えることで、チームが一丸となって目標に向かって動き始めます。

データ、すなわち過去に起こったイベントを深く掘り下げることで、チームが進むべき方向や取るべき行動が見えてきます。一方で、取るべき行動をチームのメンバーに実行してもらうには、効果的なコミュニケーションが必要です。

効果的なコミュニケーションの基本は共感です。自分の提案を相手が理解し、行動を起こしてもらうためには、データに関するメンバーの背景知識を考慮しなければいけません。例えば、あなたにとってはわかりやすいグラフでも、他の人にとってはわかりづらい可能性があります。これは、決してその人が賢くないということではなく、あなたとは異なる環境で育ち、データ分析に関してあなたほど深い知識をもっていないというだけのことです。つまり、自分では簡単すぎると思っても、他の人にとってはとてもわかりやすい伝え方である場合もあるのです[3]。

本書はデータを用いて相手にメッセージを伝えるための本です。メッセージを相手に伝えるにはメッセージを受け取る人に合わせて伝え方を変える必要があります。ほとんどのデータから得られる洞察は、提案書や行動計画、報告書といったドキュメントに落とし込む必要があります。時にはあなたの提案を取締役会が承認することもあります。優れた提案書は、データが簡潔かつ明確に構成され、説得力のある印象的なストーリー仕立てとなっています。

提案を視覚的、言語的に明確にすることで、重要な点に注意を向けさせることができ、結果的にあなたの提案は承認されやすくなるのです。このように効率的なコミュニケーションスキルは、仕事をする上で大いに役立つでしょう。

データを効果的に伝えるというのは、きれいなグラフを作成して賢さをアピールすることではなく、適切な情報量を、誰にどのような方法で伝えるべきかを知ることなのです。

コミュニケーションスキルへの自己投資とキャリアアップ

着想

リーダー

データが記憶に残るプレゼンテーションをしてメンバーの行動を促す。

説明

リーダー補佐

自分が考えた戦略を Slidedoc™ を用いてストーリーとして説明する。

探索

プレーヤー

他の人が解釈できるようにデータを探索、分析する。

---

1) 訳注：ディープデータとは、不特定多数の情報を収集したビッグデータとは異なり、具体的な個人の情報を収集したデータのこと。
2) 訳注：シックデータとは、定量化しづらい行動、感情、意識、価値観に関するデータのこと。
3) 訳注：例えば、業界に関する知識やそのデータに関する知識、統計、機械学習に関する知識は人それぞれでしょう。そのため、同じグラフを見たとしても人によって異なる解釈に至ることがあります。

コミュニケーションスキルを
身につけるために時間を費やす

どの業界でもデータを活用する仕事が急速に増えていますが、企業が最も必要としているスキルはデータサイエンスの手法を自由自在に扱いこなすスキルではなく、コミュニケーションスキルなのです。

2018年末、LinkedInのCEOであるJeff Weiner氏は、同社が行った企業と求職者間のスキルギャップに関する調査結果を発表しました。この調査では、同社のTalent Insightsツールを用いて、オンラインに掲載されている求人情報と、その求人情報に対応できる求職者のスキルセットを比較することでスキルギャップを調査しました。調査の結果、最大のスキルギャップはソフトスキルでした。

ソフトスキルのギャップをもたらした160万人のうち、99万3千人が口頭でのコミュニケーションスキルを、14万人がライティングスキルを欠いていることがわかりました。Weiner氏はこの調査を通じて、コミュニケーションスキルの高い人材は、機械学習や人工知能などの新興テクノロジーに取って代わられることはないと結論づけています。

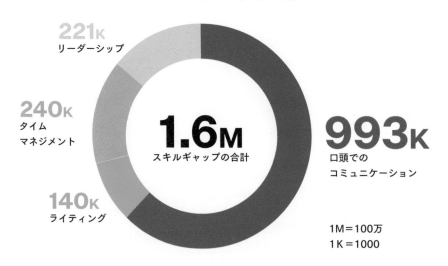

ソフトスキルのギャップ（単位：人）

221K リーダーシップ

240K タイムマネジメント

140K ライティング

1.6M スキルギャップの合計

993K 口頭でのコミュニケーション

1M＝100万
1K＝1000

また、Burning Glass Technology が IBM の依頼により行った調査によると、企業はデータサイエンティストに対して、他の職種よりもソフトスキルを求めていることがわかりました [6]。企業は、データサイエンティストにデータの探索、分析に加えて、問題解決能力や文章力を兼ね備えた人材であることを求めているのです。

ソフトスキルの一覧の中に創造性も入っていることに注目してください。もちろんこれはデータを使って創造的になることを求めているわけではありません。むしろこれは直感を頼りにデータに対する見解を述べたり、データから得

られた発見に基づいて別の未来を生み出すことができる、創造的な問題解決能力をもつ人材を求めていることを意味するのです。

このようなソフトスキルは、理系、金融系、統計系の授業ではほとんど身につかず、リベラルアーツ [4] の分野で身につけることができます。今から大学に戻ってリベラルアーツを学習し直すわけにはいきませんが、本書で紹介しているコミュニケーションの方法が、スキルギャップを埋める手助けになるはずです。

全職種とデータサイエンスの職種で
必要とされるソフトスキルの割合の比較

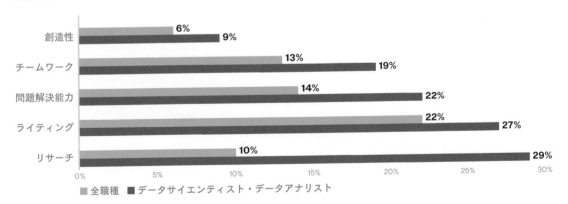

出典：Matt Sigelman, "By the numbers: The job market for data science and analytics," Burning Glass Technologies, February 10, 2017.

4) 訳注：リベラルアーツとは、学士課程において、人文、社会、自然科学の基礎を学ぶ課程のこと。

ストーリーの力を
信じる

本書を読み終える頃には、ストーリーテリングのテクニックを使い、データから提案を作りあげ、行動を促すことができるようになるでしょう。あらゆる分野のリーダーは、多額の費用をかけてデータを収集・分析していますが、データから得られる洞察を説得力をもって伝えることで、初めてデータに価値が生まれます。

この調査を進めるために、私は Duarte の顧客から何千枚ものデータを用いたスライドを集めました。なぜグラフではなくスライドを使うのでしょうか？　それは、一般的に企業や組織では戦略や情報の共有はスライドでされるからです。私たちは、コンサルティング、小売、テクノロジー、金融、ヘルスケアといった幅広い業界の中で、最も高い業績を上げている会社のデータを用いたスライドを集め、グラフの種類を分類するだけでなく、データに関連して使われている言葉まで分類しました。

これらのスライドの多くは、正式なプレゼンテーションで用いられるスライドではなく、閲覧目的で回覧される Slidedocs™ から得られたものです。

本書ではグラフはあまり出てきません。また、出てくるグラフも皆さんが使っているグラフよりシンプルなものです。実際のところ、複雑なグラフは、読み手がデータを理解するために煩雑な作業が必要となってしまいますが、それは本書が目指すところではありません。本書は、データをどのように聞き手に伝えるかをテーマにした本で、本書が扱うデータセットがシンプルなデータセットであることに気づくでしょう。

また、グラフに関しても重要な洞察がハイライトされるようにできる限り業界にとらわれないものを選んでいます。

私はデータをストーリーとして伝える者として、文法と単語に敬意を払うようになりました。とは言ってもデータの単数形を "datum" と表す用法は現代においては一般的ではないため、本書では、データが単数か複数かであるかを問わず、"data" を用いることにしました。

コミュニケーションってとても難しいですね！ でもその分見返りも素晴らしいのです。コミュニケーションスキルを磨くことで、個人としても素晴らしいキャリアを積むことができるだけでなく、会社にとっても想像もしなかったような成果を上げることができるでしょう。

最後まで楽しんで読んでください！

"素晴らしい語り手がいたら、
データから
どんなストーリーが
生まれるのだろう"

NANCY DUARTE

データを用いて
相手に
メッセージを
伝える

I.

データの
コミュニケーター
になる

データコミュニケーションスキルに投資する

ほぼすべての業界・企業において、競争上の優位性をもたらしうる膨大な量のデータを利用することができるようになりつつあります。International Data Corporation（インターナショナルデーターコーポレイション）の予測では、2025 年までに全世界のデータの容量が 10 倍になり [7]、175 ゼタバイト [1] に達する見込みです。

デジタルツールは、私たちの一挙手一投足を常に監視しており、それをデータとして溜めています。そのデータを活用することで、新しいビジネスモデルを生み出したり、従業員の生産性を向上させたり、顧客体験を改善したりすることができます。今日の顧客は、自分が使いたいデータに、世界中のどこにいても、いつでも簡単にアクセスできることを期待しています。もし期待に応えることができなければ、あなたの組織は顧客を失ってしまうかもしれません。

これらのデータを収集・保存・分析・提供するのは大変なことですが、さらに大きな課題は、意思決定のためにデータをうまく利用することです。膨大な量のデータの意味を理解するためには、さまざまな役割を担う多くの人々が、多様な種類のデータを自由に活用し、その結果を生かす方法を理解しなければなりません。**経営層は、常にデータ分析を中心とした意思決定を行う必要があります。そのためには、スマートな方法でデータを提供することが必要となります。**

仕事の基礎として、マーケティング担当者は市場分析を、営業担当者はコンバージョン率を、ソフトウェア開発者はチャーンレート [2] を、人事担当者は定着率を測定する必要があるほか、学者、科学者、政策コンサルタント、エンジニアは複雑なデータから洞察を引き出す必要があります。PwC によると、求人情報の 67％ は、分析を行うことができる人材を占めています [8]。あなたが本書にたどり着いたのは、そのような仕事に就いているからではないでしょうか。

もしかすると、常にデータの中に身を置き、その中から知見を得ることを求められる仕事や、自分の意思決定を行うときや他人に報告するか決断する際などにデータを活用しなければならないことが多い仕事なのかもしれません。あるいは、自分や人の調査結果など、データに基づいてプレゼンテーションをする機会が多い仕事に就いているのかもしれません。また一方で、報告書やプレゼンテーションにデータを取り入れる方法を学び始めたばかりの方もいるでしょう。

どのような役割においても、データから得られた知見をまず理解し、次に説明する方法を知っていれば、あなたのキャリアは大きく前進するでしょう。データを明確かつ説得力をもって伝える方法を身につければ、人と差をつけることができるようになります。

---

[1] ゼタバイトとは、1 のあとにゼロを 21 個並べたもの。1,000,000,000,000,000,000,000 バイト。
[2] 訳注：SaaS 事業・サブスクリプション型ビジネスでは、チャーンレート（churn rate）が重要な指標となります。チャーンレートは「解約率」のことで、一定期間中にサービスを解約した顧客の割合です。「顧客離脱率」や「退会率」とも呼ばれます。

"今日、十分な報酬を得られる
ポジションに就きたい人にとって（略）
データを使いこなすことは
ますます重要になってきている[9]"

JOSH BERSIN
Bersin by Deloitte のプリンシパル兼創業者・
グローバル産業アナリスト

データを
ストーリー仕立てで説明する

データを探索し説明することと、そこから人にひらめきを与える
ことの間には、必要とされるスキルに相当な隔たりがあります。
あなたのキャリアパスは、「データを分析できる」、というところ
で止まることもあれば、創造的かつ批判的な思考で問題解決がで
きるステージへと駒を進めることもできます。これに高いコミュ
ニケーションスキルが加われば、あなたの提案が承認・展開され
るようになるので、あなた自身が変化をもたらす原動力となって
いくでしょう。

控え目な貢献者から ●

探索

問題や機会を特定する

皆さんの中には、データ探索がむしろ大好きだという人も
いるでしょう。生データのプールに飛び込んで表やグラフ
を縦横に見てパターンや潜在的な問題を探したり、洞察と
いう名の蜜を得たりする。そういった作業は、素晴らしい
活力を与えてくれます。それは、まるで R. A. Montgomery
の著書『Choose Your Own Adventure（きみならどうす
る？）』の中に解き放たれた探偵のような気分にさせるか
もしれません。

自分の発見に対して上層部がどう判断すべきかを提言する
ことは、自分の仕事の範疇ではないと考えるデータ愛好家
もいます。彼らは自分自身をデータスチュワード[3] と認
識し、データを適切な状態に保ち、常にアクセスできるよ
うにすることが重要だと考えています。自分のキャリアパ
スがデータ探索で終わっても構わないと考えるのならばそ
れでもよいでしょう。しかし、もしデータに基づいて組織
の判断をサポートするポジションに就きたいのであれば、
コミュニケーションスキルを身につける必要があります。
人工知能や機械学習がより賢くなるにつれ、データ探索を
するだけでは、自分の仕事が奪われるリスクがあります。
データが示唆する組織の方向性を伝える方法を学ぶ必要が
あるのです。

[3] 訳注：データスチュワードとは、組織内のデータの管理・保守に加え、品質や整合性を担保に責任をもつスペシャリストのこと。

データに基づく変革者へ

説明

問題を解決し、機会をモノにする

行動を起こすためにデータを収集することが習慣になっている人もいるでしょう。あるいは、人に行動変容（目標に向けて、自発的に行動を変化させること）を上手に促せるようになりたいと思っている人もいるかもしれません。

提案を行うためには、まずデータを見て判断する必要があります。例えば、伸びているグラフがあるとして、それが示唆することは良いことなのか、想定内なのか？ このままこの方向性で進むべきか、それとも軌道修正すべきか？ 適切な判断を下すために必要なデータはすべて揃っているか？ などです。

そして、その結論に基づいて見解を構築します。見解を伝えるには勇気が必要です。皆さんの中には、自分のキャリアの狭間を越え、エキサイティングであると同時に緊張かつより大きな責任を伴うポジションに飛び込む人もいるでしょう。提案をするということは、大きな責任を負いながら、説明責任も伴います。事実をいかにうまくプレゼンテーションするかが、キャリアを決定づける重要なポイントになります。上手な提案ができるようになれば、信頼されるアドバイザーになることができるでしょう。

ストーリーの中の
メンターになる

多くのストーリーにおいて、メンターは重要な役割を果たします。主人公が行き詰まっているときに、メンターは道を示す洞察を与えます。主人公が旅において成功を手にするために必要なものを、タイミング良く与えるのです。

スターウォーズにおいてオビ＝ワン・ケノービがルークにライトセーバーを与え、フォースについて説いたように、通常、メンターは主人公が必要とする魅力的な力やツールをもっているものです。

それがデータとどのような関係があるのでしょうか？　あなたがデータを使って意思決定者に適切なタイミングで重要な助言をすると、組織の成果が変わります。すると、あなたはメンターと認識されるようになり、あなたのデータ分析内容は、組織の旅路を導く魅力的なツールとなります。人にタイミング良くデータを与えることは、目的達成という大きな成功をもたらすのです。

データを魅力的なツールとして使うには、次の3つの方法があります。

- **対応する**：データ収集後、問題があることを人々に警告するために使う。
- **先手を打つ**：先を見越して何かを回避したり、加速させたりするために使う。
- **予測する**：パターンを識別し、次に何が起こるかを予測するために使う。

これらのスキルを身につけた人は、皆に尊敬され頼られるアドバイザーになり、より注目度の高い意思決定の場に参加を求められるようになるでしょう。

メンター + 主人公の例

ヘイミッチ + カットニス （ハンガー・ゲーム）	ミヤギ先生 + 空手キッド （ベスト・キッド）	ジミニー・クリケット + ピノキオ （ピノキオ）	ロン・スワンソン + レズリー・ノープ （パークス・アンド・ レクリエーション）
ボンベイコーチ + 飛べないアヒルたち （飛べないアヒル）	アスラン + ペベンシー家の 子どもたち （ナルニア国ものがたり）	ムファサ + シンバ （ライオン・キング）	モーフィアス + ネオ （マトリックス）
グリンダ（良い魔女） + ドロシー （オズの魔法使い）	アルフレッド + バットマン （バットマン）	Q + ジェームズ・ボンド （007）	天使のクラレンス + ジョージ・ベイリー （素晴らしき哉、人生！）
ダンブルドア教授 + ハリー・ポッター （ハリー・ポッター）	フェアリー・ゴッドマザー + シンデレラ （シンデレラ）	メリー・ポピンズ + バンクス家の子どもたち （メリー・ポピンズ）	ベン伯父さん + ピーター・パーカー （スパイダーマン）

機会を見逃さず、あらゆる問題を
データで解決する

ビジネスリーダーは1日に何千もの意思決定を行いますが、そのほとんどすべてにデータが関わっています。データには極めて単純なものもあれば、非常に複雑なものもあり、そして全く想像しなかった決断を迫られることもあります。

意思決定は、よく機能している組織において避けては通れない道です。時には、複数のダッシュボードを継続的に注視しながら、重大な変化がないかどうかを慎重に見極めなければなりません。また、意思決定を行うには、社内の情報に加え、社会情勢やテクノロジーの動向といった社外情報を収集し、組織のビジネスに関連付けることも必要です。このような意思決定は、「個別」「業務上」「戦略」の3つのグループに分類することが有効です。

データに基づく３階層における意思決定

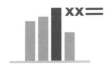

個別の意思決定

個人が意思決定をする際、データセットの探索は一度で済むかもしれません。たいていはグラフを作成すれば、その答えがわかります。１つのデータポイントで、何かを止めたり始めたりすべきか、別の何かを新たに始めたりすべきか、あるいは今やっていることが正しいので続けるべきであるといったことを確認することができます。自分の直感とデータを照らし合わせることで、単純な問題も複雑な問題も明確になります。

例えば、広告キャンペーンの更新を決定したり、物価上昇によって売上がどの程度減少したかを確認したり、毎月の利益の変動を把握したりすることができます。

業務上の意思決定

業務上の意思決定には、日次、週次、月次、四半期、年次といった継続的な業績データの評価が必要となります。

そういったデータを追跡するためにリアルタイムのダッシュボードを使用します。データが期待通りであるか、あるいは、さらなる調査や変更を必要とする予期せぬ異常があるかどうかを監視・評価することで、適切な提案を行うことができます。

戦略的意思決定

戦略的意思決定は、さまざまなソースの情報を総合して、組織の将来を決定するものです。その中には、事業、業界、あるいは世界全体の流れを変えるものもあります。

競合他社を買収するかどうか、新製品に大きな賭けをするかどうか、パートナーシップを結ぶかどうか、新たに従業員福利厚生プログラムを立ち上げるかどうかなど、これらの意思決定は困難を極めます。そのためには、正しく、かつ効果的に提示されたデータにアクセスすることが重要です。

創造的な
プロセスへ移行する

めまぐるしく変化する今日のビジネス環境の中で、時には思うようなデータがなくても決断しなければならないこともあります。たとえ多くのデータがあったとしても、その中から判断の裏付けとなるものを見つけられるとは限りません。

意思決定をデータに頼りすぎると、分析が膠着状態に陥る可能性があります。一部の業務上の意思決定を含む戦略的な意思決定においては、未来を予測することになりますが、その予測が当たるかどうかはわかりません。ほとんどのデータは歴史的であり、既に起こったことを記録したものです。つまり、それ（データ）はこれから起こりうることを必ずしも示しているわけではないのです。したがって、未来を予測するためには、創造的な思考力と問題解決力が必要です。

「データが語る」という言葉を耳にしたことがあると思いますが、実際には、データが自らの意思を明確に伝えることはほとんどないでしょう。私たちはデータに声を与えなければならないのです。将来に関して意思決定を行う場合、あなたが確実だと予測したトレンドラインでも、それが信頼できるとは限りません。トレンドは驚くほど早く変化します。

はっきりさせておきたいのは、ここで話しているのは、データに工夫を凝らしたり、アルゴリズムや結論に偏りをもたせたりすることではないのです。創造的な思考は、データに真実が反映されていると確信したあとに使うものです。創造力は、次にとるべき最善の行動を想像するためにのみ使ってください。

データに基づく良い提案をするには、データ分析力と直感、そして想像力と論証力が必要です。良い提案をするためには、仮説を証明するデータや反証するデータを提示するだけでは足りません。それは単なる出発点にすぎないからです。提案は、どのような行動をとるべきかを示すという創造的な一歩を踏み出すものであり、優れた提案は、その行動に対して説得力があります。

これは、データを理解することから、データを使って意味のあるストーリーを語ることへと大きく飛躍することを意味し、あなたはその語り手となるのです。

これまで分析的な思考をしてきた人は、最初は違和感を覚えるかもしれません。しかし、分析的な思考状態から創造的な作業形態に移行することは、非常に大きな活力と充実感をもたらします。自分の洞察が人々を活性化させ、人々の行動変容を促すのを見ると、深い満足感が得られるでしょう。

アドバイス▶創造的な作業形態に移行する必要があるときは、数字を扱う作業をしているときとは別の空間に移動することをおすすめします。場所を変えることで、脳に数字を扱う際とは異なる様式で働くように信号を送りましょう。

創造的な思考でデータを行動に移す

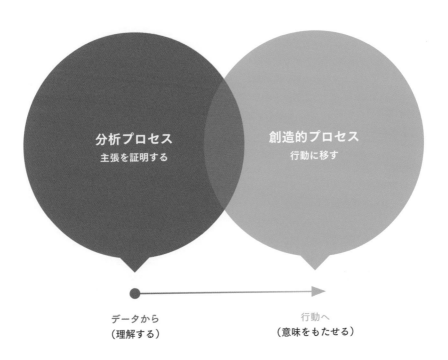

直観力を養う

マネジメントやリーダーシップを目指してキャリアを積んでいくには、頭で考えるだけでなく、直感的な判断が必要になります。データや分析に頼りすぎると、頭でっかちになって判断が鈍り、無難な判断ばかり下すようになってしまうかもしれません。

例えば、SaaS（Software as a Service）のサブスクリプションをキャンセルしようとした際に、クリックを2回しなければならない設定に変更すると、顧客の解約率が減るというデータがあったとします。また、そのデータは、クリックを3回以上求める設定に変更すれば、顧客離れをさらに食い止めることができると示すとします。一方で、あなたは直感的に、このように顧客に手間をかけることは、長期的な損害（測定困難）につながる可能性があると考えています。また、ひいては会社の評判を落とし、失った顧客を取り戻すのがさらに難しくなるかもしれません。

元Googleの役員で、YahooのCEOを務め、現在はLumi Labsの共同設立者であるMarissa Mayerは、データを使って意思決定を行うことで有名です。しかし、彼女は収集したデータだけに基づいて決断を下すわけではないのです。実際、ポッドキャスト"Masters of Scale"によると、「Marissaが用意するデータはプールという市場に飛び込む際の飛び込み台のようなものです。飛び込み台は高ければ高いほど視野が広くなり、飛び込んだ際の市場へのインパクトも大きなものになります。しかし最終的なビジネス上の意思決定は、直感に基づいて決めている[10]」のだそうです。

> "私はデータに基づいて判断したいと思っているけれども、人間の本能的な要素も無視しません。私はデータをよくよく検討し、それを知り、よく理解した上で直感に基づいた判断を下しますが、それはたいてい、データに加えて多くの明確にしがたい要素に支えられているのです" —Marissa Mayer

時には、直感に反するような決断が好ましいこともあります。正しい方向性を選ぶためには、データからではなく、データでは予測できない、自分が生み出そうとする未来を描く必要があるかもしれません。Steve Jobsのもとで直接働いていた友人が多数いますが、Jobsの意思決定について彼らが共通して言うことは、彼らがどれだけ準備し、どれだけ徹底的にデータを調べ上げ、どれだけ多くの選択肢を用意しても、Jobsはいつも予想外の、常識では考えられない意思決定をしたということです。彼は、準備することができない一歩先を見ていたのです。

一昔前までは、リーダーの手元にはほとんどデータがなく、多くの行動は、直感的な評価に基づいていました。私は自分のビジネスにおいて、直感に頼ることがいかに重要であるかを経験してきました。実際に、これまでデータに反する判断も多数下してきました。IT バブル崩壊では経済が大混乱に陥り、シリコンバレーが大きな打撃を受けたことで、私のビジネスも同様の打撃を受けました。私は、印刷、ウェブ、マルチメディア、プレゼンテーションという 4 つのクリエイティブサービスをすべて維持しようとする代わりに、そのうちの 3 つを閉鎖し、プレゼンテーションだけに集中する道を選びました。データからはそんなことは読み取れませんでしたが、私は直感的に、サービスを 1 つに絞ることで、会社が成功する可能性が最も高まると考えたからです。結果的に多くの企業が閉鎖される中、私はチームを維持することができ、経済が回復し始めたときには、ビジネスはかつてないほどの急成長を遂げました。

偉大な数学者・統計学者である John Tukey は次のように言いました。

> "正しい問題に対する近似的な回答の方が、近似的な問題に対する正確な回答よりもはるかに価値があります"

リーダーは、限られたデータの中で常に決断を下さなければならないため、たいていこのことを意識しています。真っ当な提言を行い、それをうまくプレゼンテーションすることができれば、リーダーはあなたの直感力に感銘を受けるでしょう。

Chapter 2 では、データを効果的なコミュニケーションに結びつける方法を学ぶ前に、まず「コミュニケーションをとる相手」について詳しく見ていきます。

"ベストを尽くすだけでは
不十分である。
何をすべきかを知った上で、
ベストを尽くさなければ
ならないのだ"

W. EDWARDS DEMING
アメリカ合衆国の統計学者・
著述家・講演者・コンサルタント

II.

意思決定者との
コミュニケーション

意思決定者を
知る

データを用いて相手への提案を準備する際、その承認に誰が関与するのかを考え、その人たちにとって魅力的なアプローチをとることを考えましょう。

対象者が何を必要としているのか、またそれをどのように得たいのかをよく考えなければなりません。対象者が変われば、使用すべき言葉も変わります。相手のレベルが高ければ高いほど、あなたのアプローチはより構造的かつ簡潔であるべきです。また、厳しく突っ込んだ質問をされることも覚悟しなければなりません。

本章以降では、意思決定者への提案に焦点を当てています。彼らにアピールする方法を学ぶことは最も重要なことで、

彼らを説得するための最良のアプローチを一度習得すれば、誰に対しても簡単に提案できるようになるでしょう。

一口に意思決定者と言っても、株主や顧客、あるいは組合の代表者などさまざまですが、本書では社内での意思決定を題材にしています。

聴衆を知る

簡略化した表現で話をする	自分の主張を証明する	要点を話す

同僚を説得する場合
使い慣れた言葉を使う

自分のチームや仲間を味方につけるには、マニアックな話をしていく必要があります。すでに共通の目標と言語をもっているので、組織的にあなたに近い人たちは、あなたがなぜその提案をしようとしているのかを理解しているかもしれません。中にはあなたがその提案をするのを手伝ってくれた人もいるかもしれませんし、すでに賛同してくれている人もいるかもしれません。チームが日常的に使っている視覚的・言語的に簡略化した表現を使っても構いません。関係者全員が知っているものであれば、頭字語[1]、部内用語、複雑なグラフなどを使っても構いません。

マネージャーを説得する場合
補足資料を含め、網羅的に説明する

マネージャーは、提案が十分な情報に基づいたものであり、正当な説明のつくものであることを確信しなければなりません。提案に基づいて行動を起こすのであれば、彼らの評判を落とすようなことはあってはなりませんし、部下が作った構成のあまいアイデアのためにリスクを負いたくありません。そこで、あなたはやるべきことを行ったことを示し、自分の考えを明確に示す必要があります。提案書は簡潔にまとめ、上司のために、調査結果やその他の裏付けとなる証拠を含む包括的な補足資料を添付しましょう。うまくやれば、上司はあなたのアイデアをサポートし、経営層の前でプレゼンテーションをする機会を作ってくれるかもしれません。

経営層を説得する場合
簡潔・論理的・正確な提案を書く

私たちは皆多忙ですが、経営層の忙しさは想像を超えます。そのような人たちに向けて、簡潔で簡単に目を通すことができ、かつ構成のしっかりした提案を作らなくてはなりません。もし与えられたプレゼンテーションの時間が30分であれば、質疑応答に15分取るべきでしょう。非常に明確な発表を心掛けて、手加減なしに質問されることを覚悟しなければなりません。また、人にはそれぞれ好みがあるので、相手が好むスタイルに合わせて伝え方を工夫すべきです。あなたのコミュニケーションスタイルではなく、相手のスタイルに合わせてアプローチしましょう。

---

[1] 訳注：頭字語とは、アルファベットにおける略語の一種であり、複数の単語の頭文字をつなげた語のこと（例：GIF、LAN）。

多忙な経営層の時間を
尊重する

誰にとっても時間は限られたものですが、経営層にとっては特に短いものです。彼らには要求が多く寄せられるため、時間の使い方に無駄は許されません。長期的な目標をサポートするため検討課題に優先順位をつけ、企業の戦略を推進し、市場を把握し、顧客、従業員、株主、取締役会を満足させなければなりません。

経営層は、精神的にも感情的にも、普通の人では考えられないほどの責任を負っています。そして、彼らにとって時間が最も貴重なものだとすれば、彼らと明確にコミュニケーションをとれる人こそが貴重な存在となります。他の人が十分にリサーチした上で、提案を組み立てることで、彼らに時間を取り戻すことができるのです。

私の知り合いに、ある上場企業の CEO 直属の部下でとても信頼されている女性がいます。会社のジェット機で移動中の CEO に短くてよく構成された提案書をメールで送ると、たいていすぐに決定的な返事を得ることができました。

彼女は CEO に補足資料を提供する必要がなくなり、また CEO も提案書の結論にたどり着くまでのプロセスに関して質問することがなくなりました。

CEO の時間の使い方

以下に紹介する有名な CEO の習慣は、彼らがいかに忙しく、そしていかに時間管理能力が必要かを示しています。

TIM COOK

Apple の CEO。メールのやりとりが滞らないように、毎朝 4 時半から仕事を始めています[11]。

INDRA NOOYI

Pepsi の元 CEO。子どもたちが放課後に友達の家に行くことなどの行動に許可を与えられるよう、アシスタントに権限を与えています[12]。

SHELLYE ARCHAMBEAU

Verizon と Nordstrom の元取締役。髪の毛の手入れに費やす時間を減らすために、髪の毛を短く切って週に 3 時間節約しました[13]。

RICHARD BRANSON

Virgin の創業者。家族と過ごす時間をあらかじめ仕事用のカレンダーに記入しています[14]。

私の時間の使い方

CEO であり作家でもある私も同じような戦略で時間を最大限に利用しているので、これらの実践例を読んで安心しました。威厳を保つためにも、クレイジーなことはここでは紹介しません。

例えば、本の締め切りが迫っているときは、朝 5 時に作業を始め、11 時までは執筆のためだけに時間を使います。緊急性の高いメッセージや動揺させるような内容のメッセージを受け取ると、その日の午前中は集中できなくなるため、メールチェックもしません。

家族旅行やパーティーの予約は、アシスタントが行っています。また、カレンダーに書き込むことができる人にだけそのパスワードを共有しています。週に 3 回は髪を洗うのですが、朝メールを返信している間に 1 時間ほどで自然乾燥させて、ドライヤーの時間を短縮しています。

また飛行機で移動するときは、サインやフィードバックが必要な書類を印刷して機内に持ち込み、離着陸時の電子機器を使えない時間を有効活用しています。着陸直後にはそれらをトラベルスキャナーで送信しています。

経営層がどのように評価されるかを知る

経営層は業績を上げなければならないという非常に大きなプレッシャーにさらされています。企業は精巧な生態系のようなものであり、経営層はバラバラに動く個の調和を保たなければなりません。

組織における経営層の責任のすべてを網羅する職務記述書の類は存在しませんが、経営層はほぼ共通して以下の指標に従って評価されます。経営層は、主に6つの指標を使って組織を成功に導きます。あなたの提案が、それらの分野において成功に導くものである場合、おそらく経営層による承認が必要となるでしょう。

経営層のパフォーマンス評価指標

収益と利益の向上
財務力は、費用の支払い、スタッフへの十分な給与支払い、そして将来に向けた財務的な賭けを行う上で必要不可欠な組織的能力です。

市場シェアの拡大
市場で優位な立場に立つため、競争上の優位性を獲得し、競合他社に先駆け不利益を起こしうるトレンドを見極める方法を見つけなければなりません。

雇用定着率の向上
顧客、従業員、共同経営者の満足度を高め、定着率を高めます。雇用定着率は利益を押し上げ、顧客のコストを削減し、組織内特有の文化を強化します。

経営層が押しあげたいもの

収益と利益	市場シェア	雇用定着率
お金	**市場**	**投資比率**
コスト	市場投入までの時間	リスク

経営層が抑えたいもの

コストの削減
財務の健全性を実現するための最も効果的な方法の一つは、コスト削減を適切に判断して多くの利益を生み出すことです。

市場投入までの時間の短縮
製品やサービスをいち早く市場に投入するために、障害物を取り除き、同時に製品やサービスの素晴らしさを保証します [2]。

リスクの低減
オペレーショナルリスク、法務リスク、コンプライアンスリスク、財務リスク、品質リスクを低減することで、生産停止、罰則、評判の低下などのリスクを軽減します。

---

[2] 私の友人は、市場への参入には3つのFがあると言っていました。真っ先に（first）、素晴らしく（fabulous）、さもなければめちゃくちゃになる（effed）。まさにその通りです。

6つの経営層の指標はすべて、重要業績評価指標（KPI）で測定可能であり、ほとんどすべてのKPIがこれらの領域の1つ以上に該当します。もし、あなたの提案が経営層に向けられたものであれば、これらのカテゴリのいずれかにおける改善を提案する必要があります。これらの分野に取り組むことで、経営層はその価値を理解し、なぜその提案を承認しなくてはならないかをすぐに答えることができるでしょう。

経営層に提出する提案書をすでに作成している場合は、今すぐ自分自身に問いかけてみるべきです。それは、経営層の評価指標に関わるものでしょうか？　はっきりしない場合は、それが指標にどのような影響を与えるのか、それをどのように説明できるのかを考えてみましょう。

Duarte の戦略

収益と利益の向上
企業取引間での2倍の成長を目指し、営業・マーケティングチームに投資します。

収益と利益
＾
お金
∨
コスト
コストの削減
クリエイティブチームを分野別に編成することで、稼働率を向上させます。

市場シェアの拡大
本の発売に合わせて東海岸にオフィスを開設します。

市場シェア
＾
市場
∨
市場投入までの時間
市場投入までの時間の短縮
講演者指導の成長を加速させます。

雇用定着率の向上
スコアカード[3]を活用し、不適切な顧客を排除します。

雇用定着率
＾
投資比率
∨
リスク
リスクの低減
不況対策のための戦略を作ります。

[3] 訳注：スコアカードとは、計画とその達成度合いをできるだけグラフ等で数値化し、目に見えるかたちで評価するシステムのこと。

経営層の情報の
受け取り方を理解する

経営層は、提案の受け取り方に個人的な好みをもっています。彼らとコミュニケーションをとるためには、その好みを理解するためのメンターを見つける必要があります。経営層の中には、分厚いレポートを隅々まで読む人もいれば、重要な部分を強調した簡潔なサマリーを求める人もいます。

提案を行う際には、承認プロセスに関わるすべての人を把握していなければならず、それぞれにアピールするためには、さまざまな方法でアプローチを調整する必要があります。例えば、Duarte の経営層には、それぞれコミュニケーションの好みがあり、その多くは私とは異なります。メールが好きな人もいれば、スライドが好きな人もいるし、1 対 1 ですぐに話したい人もいます。

理想的なのは、経営層をよく知っている人が、経営層の好みについてアドバイスしてくれることです。経営層と一緒に時間を過ごしたことがあり、彼らとのコミュニケーションの経験がある人を探してください。この情報は、会議やメールなど、経営層とのあらゆる種類のコミュニケーションに役立ちます。このような努力が実を結ぶのです。

直属の部下たちは、私が電子的なコミュニケーションの中ではメールが好きだということを知っています。長いテキストで書かれた情報を処理するには、会議の前にそれを読み、疑問点をメモしておきます。また、問題の緊急度に応じて、私のアシスタントに連絡すべきということを知っています。そして私の承認を得るには、1 on 1 ミーティングか、電話で手短かに話すのが一番です。

承認方法のスタイルも千差万別です。社用ジェット機から携帯電話で意思決定をする経営層もいれば、プリントを使ったり、タブレットでデジタルメモを書いたりする経営層もいます。彼らがあなたの提案を検討するために割ける時間は、空港に向かう車に同乗しているときだけかもしれません。そして、提案内容が経営層を感心させた場合には、取締役会全体を前にした正式なプレゼンテーションを求められるかもしれません。

誰に提案するのか、そして彼らがどのように情報を受け取りたいのかを知ることは、提案の受け取られ方だけでなく、あなたのキャリア形成における評価をも左右します。

アドバイス ▶ duarte.com/datastory では、ワン・ページャー（要点を1枚にまとめた書類）のひな形をダウンロードできます。220 ページのサンプルもご覧ください。

経営層が好むコミュニケーション方法を知る

経営層は、情報の受け取り方や処理の仕方に個人的な好みをもっています。

プレゼンテーション

経営層があなたにスタンド＆デリバー方式 [4)] のプレゼンテーションを求めている場合、Slidedoc も用意しておきましょう。あとから詳細を聞かれることもあるからです。

スライド

スライドは、Slidedoc などのプレゼンテーションソフトを使って作られた、階層が明確で、目を通しやすく、すぐに理解できるビジュアルドキュメントです。

視覚に訴える →

口頭ベース 文字ベース →

視覚に頼らない →

会話

相手が会話を望んでいる場合、必ず準備を行ってください。必要なキーポイントをよく考えて、議論をうまく構成しましょう。そうすることで、話すべき内容の指針ができます。

ワン・ページャー

要点を 1 枚にまとめた提案書は、メールに添付したり、会話を補完したりするのに最適です。議論の時間を確保するためにも、自分の考えを視覚的に簡潔にまとめておきましょう。

SMS またはメール

あなたが信頼のおける人物と認定されたら、経営者はあなたに SMS やメールで提案書を送るように指示するかもしれません。それらは簡潔で、よく構成され、的を得ていなければなりません。

[4)] 訳注：スタンド＆デリバー方式とは、いつどこであっても、臨機応変に説明できるように準備されたプレゼン方式のこと。

質問や中断を
想定する

経営層は毎日、多くの決断を下しています。時には、迅速に決断を下すこともあれば、深く考えなければならない決断もあります。

提案に関して言えば、私の友人の CEO の多くは、月に 1 回、丸 1 日かけてマネジメントチームの提案を聞いています。各提案は 30 分単位で行われ、経営機能の要として、経営層はその中でアイデアの承認・却下、または追加情報の提供を求めます。

もしあなたが、ある経営者、あるいは経営層全体の会議で提案を行うように指示されたら、プレゼンテーションを終える前に中断されることを覚悟しなければなりません。それも、終わるずっと前に、です。

「それは失礼ではないか」という声が聞こえてきそうですが、そうでもないのです。多くの経営層は、情報を素早く判断し、それにうまく対応することができるからこそ、リーダーシップを発揮できるのです。彼らは、あなたの提案の要点を理解し始めると、すぐに長所と短所を検討し始めます。彼らは、深いビジネス知識に基づいた重要な質問に対して、できるだけ早く回答を得るために、口を挟むのです。**あなたが提案していることの全体像や、あなたがどれだけ考え抜いているかを素早く明確にするために、彼らは口を挟みます。**

せっかく論理的に準備したものが…

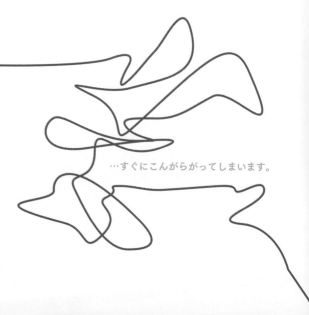

…すぐにこんがらがってしまいます。

あなたの基本的なアイデアを聞いた瞬間に、彼らの頭の中に描かれはじめた絵が部分的にぼやけていたり、穴があいていたりするので、それを埋めるために質問するのです。

経営層はあちこち飛び回ってあなたに質問を浴びせかけてくることもしばしばですので、心の準備が必要です。また、相手に質問させる時間を与えることも大切です。与えられた時間をすべて自分のプレゼンテーションで使い果たしてはいけません。与えられた時間を知ることが重要ですので、言われなければ聞いてみましょう。ほとんどの経営層のミーティングは 30 分ごとに区切られているので、15 分間をプレゼンテーションの時間として確保し、残りの時間を質問のために残しておくとよいでしょう。

また、経営層へのプレゼンテーションの機会を与えてくれた人に、どのようなことを予測すべきかを聞いておくとよいでしょう。どのような質問に備えておくべきかを聞き、そのすべてを把握することはできないかもしれませんが、それがどのようなものかを事前に予想しておきましょう。仲介してくれた人もすべては把握できていないかもしれないので、本番で経営層に驚かされることを覚悟しておいてください。あなたがヘッドライトに照らされた鹿のように見えるのは避けたいものです。

仲介者は、あなたに次のことを教えてくれます。

- あなたには理解できないような経営層の強い意見。
- 経営層が深く掘り下げて知りたい点、そしてその際に提供すべき情報。
- 経営層が提起する可能性のある反論と、それに対するあなたの準備の仕方。

提示する情報を厳密に絞り込んでいく一方で、提案を裏付けるためのリサーチを徹底的に行う必要があります。プレッシャーがかかってもすぐに思い出すことができるように、しっかりと頭に叩き込んでおきましょう。

経営層の決断が一つでも失敗すれば、社内外に乗り越えられないほどの混乱が起こり、自分や会社に大きな屈辱を与えることにもなりかねません。

相手にとことん中断させましょう。

"経営層が失敗する
主な理由の一つは、
決断できないことである"

JOHN C. MAXWELL
アメリカ合衆国の著述家・講演家・牧師

ストーリーの
構成を
明確にする

III.

データ視点を作る

データ視点を
考える

データを探索するうちに、データが語っていることについての考えがまとまってきます。深く考えていくと、自分なりの視点が構築されてきます。時には誰の目にも明らかで、100％データに基づいたものが出てくることもあれば、直感を頼りに、仮説を立てなければならないこともあるでしょう。発見したことに対して明確なスタンスを取れるようになると、データ視点（DataPOV™）を構築することができるようになります。

データ視点をビッグアイデアとして構成する

私の著書『Resonate（ザ・プレゼンテーション）』にヒントを得て、データ視点はビッグアイデア[1] として構成する必要があります。ビッグアイデアは次の3つの要素を備えていることが求められます。

独自の視点と必要な行動が明確に示されていること
データはその内容がなんであれ、あなたに語りかけているのです。視点を得るためにデータに深く入り込み、特別な意味合いに気づき、何をすべきか、どのようにすべきかについての理解を深めたのはあなた自身です。自分の意見を表現し、必要な行動を明確に示すことで、それを自分のものにしましょう。行動を起こす必要がなければ、提案をする必要はありません。

リスクが特定されていること
提案が承認されるかどうかにかかわらず、何がリスクになりうるのかを示す必要があります。ポジティブなリスクと

ネガティブなリスクについて考えてみましょう。提案には、人的または金銭的な何らかのコストがかかります。リスクを明確にすることで、提案に内在する利益と損失を明確にすることができます。他人に行動を求めるときは、常にリスクがあります。

完全な文章で書かれていること
データ視点はあなたの提案の核であり、その他すべての資料はそれをサポートするものです。データ視点を明確にするには、完全で整った文章で表現する必要があります。つまり、最低でも名詞と動詞が1つずつ必要なのです。

データ視点は、提案書のタイトルページになり、スライドのタイトルにも使用します。こうすることで、人々はあなたが提案しようとすることがすぐにわかり、あなたはそれを支えるために考え抜いた論理的な構成を作ることができるのです。

---

[1] 訳注：ビッグアイデアとは、「あなたが伝えたい『カギとなるメッセージ』」のことです。要点や主題などとも同義で、新しい方位磁石が指し示す針路を聴衆にとらせる力をもったメッセージ」をさします（『ザ・プレゼンテーション：人を動かすストーリーテリングの技法』（ダイヤモンド社、2012年）より引用）。

データ視点をビッグアイデアとして構成する

視点

あなた独自の視点では、
何をすべきでしょうか？
データはどのような行動が
必要だと言っていますか？

＋

リスク

あなたのデータ視点を採用した場合と、
採用しなかった場合とで、
組織にとってそれぞれ
どのようなリスクがあるでしょうか？
すべての提案の実行には、
コスト（人的または金銭的）が
かかります。

データ視点を文章におこす

文章には、名詞と動詞が含まれます。
動詞は、結果を変えるためにどのような行動をとる必要があるかを明確にします。
データ視点は、データで特定された問題や機会を簡潔に説明します。

データ視点には、あなたが望む数値で示せる最終的な結果を含める必要があります。
これにより、提案された行動をとった場合の未来の姿が明確になります。
本書の後半では、データ視点がデータストーリーの
第3幕（解決）にもなることがわかります。

データ視点の例

ショッピングカートの操作性と
配送ポリシーを変更することで、
売上が40％増加する可能性があります。

＞

データ視点ではないものの例

当社のオンラインショッピングカートを
修正します。

データを用いた一流企業の
コミュニケーションを理解する

口頭や書面でのコミュニケーションには、言葉が必要です。言葉は、アイデアを推進し、人々に採用してもらうための最も強力な手段の一つです。まずは、データに関連する言葉のパターンを研究することから始めるのがよいでしょう。

データの中にパターンを見つけることは、非常に大きな満足感をもたらします。私の仕事の多くはパターンを見つけることです。『Resonate（ザ・プレゼンテーション）』では、何百もの名スピーチを分析し、パターンを見つけました。diagrammer.com では、顧客のために作成した何千ものダイアグラムを分析して、パターンを見つけました。さらに本書執筆中も、いくつかのパターンを見つけたのです。

リサーチのため、消費者、ハードウェア、ソフトウェア、ソーシャルメディア、検索サイト、製薬、金融、コンサルタントなど、さまざまな業界から複数のブランドを選び何千枚ものスライドを集めました。また、成功している上場企業や、営業、マーケティング、インサイトグループ、アナリスト、財務、人事、役員など、さまざまな部門やレベルのスライドをランダムに選びました。データを使って、どうやってデータに基づくメッセージを相手に伝えるかを考えました。メタな視点を得るためとはいえ、なんたる俯瞰的作業なのでしょうか。

データコミュニケーションの
語彙に見られるパターン

品詞

最大の課題は、データのスライドから取り出した単語を調べることでした。調査員に単語を取り出してもらい、名詞、形容詞、動詞、副詞、接続詞、間投詞に分類しました（代名詞は除外しました）。その結果、品詞の最適な使い方がわかったので、本書で紹介します。

動詞の重要性

データを提示するときに使われる動詞の種類と、データ以外のスライドで使われる動詞の種類には、興味深い違いがありました。データに関連して使われる動詞は「収益を上げるために売上を増やす」など、パフォーマンスやプロセスを表すものが多く（以降、それぞれ「パフォーマンス動詞」、「プロセス動詞」と呼びます）、一方、他のスライドに使われる動詞は、「私たちならできる」など、頭よりも心に響いたり、感情に訴えかけたりするものが多くなっています。

品詞

データを伝達するための構成要素

品詞は行動を促すための重要な構成要素です。以下に、データを用いて相手にメッセージを伝える際に、品詞がどのような場面でどのように使われるかをまとめました。詳細は本書の残りの部分で説明します。

品詞	データへの適用	活用例など
動詞	**行動を表す** データの結果として取るべき行動。	最適な動詞の様式と戦略を示す動詞を選択して、強力な提案を示します。
接続詞	**複数のアイデアをつなぐ** ストーリーを推し進める。	エグゼクティブサマリーをストーリーとして構成するには、「そして」、「しかし」、「なので」、などを使用します。
名詞	**測定する対象** 人、場所、物、そしてアイデア。	どの名詞を測定しているのか、いつ、どのように測定したのかを明確にしましょう。
形容詞	**静的データを記述する** 静的データの記述、観察可能な特性。	形容詞を使って棒グラフや成分グラフの所見を書きます。
副詞	**傾向線を説明する** 時系列データの記述、観察可能な特性。	副詞を使って折れ線グラフの所見を書きます。傾向線は動詞で表されるので、副詞を使って記述します。
間投詞	**データに驚嘆する** 感嘆の声や音を出す。	口頭で発表する際には、データについての感想を含めましょう。例：なんて美しいのでしょう！

あなたのデータ視点に
最も効果的な行動を選ぶ

選んだ言葉の質は、あなたのアイデアがどのように受け取られ、どのように行動にうつされるかに大きな影響を与えます。データに基づく行動は、データ視点の基礎となるものです。

データ視点を表現するのに最適な動詞を選ぶことで、どのような行動を推奨しているのかが明確になります。

今から 20 年以上前、私たち夫婦はライフコーチを雇い、人生のミッションステートメントを作成しました。そのコーチは、ステートメントの中で最も重要なのは動詞であると教えてくれました。なぜなら、動詞は単なる意図ではなく、私たちが専念すべき行動を特定するからです。この動詞によって、時間の使い方が決まり、自分が最も満足できる活動を行うことができるようになりました。それ以来、私は動詞を熱心に観察してきました。本章の残りの部分では、データに関連して使われる動詞のパターンを紹介し、あなたのデータ視点に磨きをかけていきます。

データに関連する動詞には、3 つの異なる様式があります。

- 変化：自分自身と、自分の行動を変える必要がある場合に用います。
- 継続：同じ方向に進み続ける必要がある場合に用います。
- 完了：今やっていることを完了させる必要がある場合に用います。

データ視点を明らかにする際には、どの動詞が最も効果的に問題を解決するのか、あるいは機会を生かすことができるのかを特定します。

選んだ動詞が人々に何を求めているかを意識する

自分のデータ視点を述べる際には、3 つの行動様式のうちどれを使うかを明確にする必要があります。自分が推奨する変化、継続、完了のタイプを具体的に示してください。動詞は、66 〜 67 ページの中から、提案を推進するのに十分な明確さと強さをもつものを選びましょう。

動詞の様式		
変化	継続	完了

自分自身と、自分の行動を変える必要があります。
あなたの提案が変革に関するものであれば、「変化」の動詞を選びましょう。変革は大きな変化でも小さな変化でも構いません。

同じ方向に進み続ける必要があります。
あなたの提案が忍耐に関するものであれば、「継続」の動詞を選びましょう。これらの動詞は決して言い訳ばかりに使われるわけではありません。時には全速力で前進することが打開策になります。

今やっていることを完了させる必要があります。
あなたの提案が完了に関するものであれば、「完了」の動詞を選びましょう。完了とは、目標を達成することである場合もあれば、撤退することである場合もあります。物事を終わらせるには、それを開始するのと同じくらいの労力が必要になることがあります。

パフォーマンスと
プロセスを読み解く動詞

提案の中には、あなたのチームにもできる小さな行動につながるようなものもあれば、組織の成否を左右する全社的な取り組みになるものもあります。

あなたの提案は、提案を実行するために組織が負担する金銭的または労力的なコストを表していることに留意してください。

最も強い動詞を選ぶ（例）

行動	戦略的行動
消費者が板チョコのフレーバーが増えることに前向きであることがデータから明らかになった場合、プロセス動詞である「**考案する**」という動詞を使うことができます。	しかし、市場に混乱をもたらすより大規模で継続的なパフォーマンス動詞として、「**破壊する**」という動詞を使うこともできます。
新しいフレーバーを考案する。 ＞	**味の革新で市場を破壊する。**

破壊するという言葉の下に、
いくつかの動詞を忍ばせていることに注目してください。

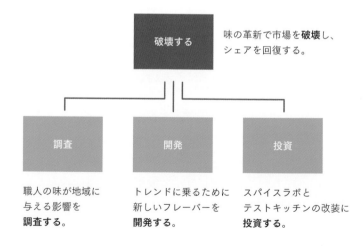

味の革新で市場を**破壊**し、シェアを回復する。

職人の味が地域に与える影響を**調査する。**

トレンドに乗るために新しいフレーバーを**開発する。**

スパイスラボとテストキッチンの改装に**投資する。**

どのような基準で言葉をプロセス動詞とパフォーマンス動詞に分類したのでしょうか。パフォーマンス動詞で表現される行動は、KPI などで時間的に数値で測定される傾向がありますが、プロセス動詞で表現される行動は、完了したかしていないかで測定される傾向があります。連続的な行動ではなく、行動を起こすまたは起こさないといった二元的な行動であるとも言えます。データは、あなたがそれらを行ったか行わなかったかを明らかにします。

パフォーマンス動詞の方がより戦略的な性質をもつ傾向がありますが、あなたの提案の規模に応じて、どちらのタイプの動詞でも戦略的な行動を記述することができます。例えば、66 ページでは「築く」という動詞をプロセス動詞に分類していますが、「イリノイ州に新工場を築き、年間 600 万ドルを節約する」というデータ視点は、非常に戦略的な提案です。

プロセス動詞	パフォーマンス動詞
目標を達成するための行動。	組織のパフォーマンスを向上させるための行動。

より強い動詞を選ぶための例。

規定する	獲得する
市場シェアを拡大するための価格プランを規定する。	競争力のある価格設定で市場シェアを獲得する。
支援する	動かす
インバウンドマーケティングの取り組みを支援する。	インバウンド活動を支援するためにマーケティング資金を動かす。
公開する	増やす
より多くの動画コンテンツを公開する。	動画コンテンツの数を増やす。

経営層に提案を行う場合、可能な限りパフォーマンス動詞を使用してください。その性質上、あなたが提案する行動は、経営層が気にかけている評価指標の領域に入ります（46 〜 47 ページ参照）。経営層は、ほとんどの場合、戦略を念頭に置いていることを忘れないでください。

最高の戦略的洞察力で
行動を引き起こす

以下の動詞リストは、3つの様相ごとに分類されています。その下には、それぞれパフォーマンス動詞とプロセス動詞が並んでいます。このリストはすべてを網羅しているわけではありませんが、Duarte が調べたスライドの中で使用頻度が高かった動詞です。

変化
自分自身と、自分の行動を変える必要があります。

パフォーマンス動詞			プロセス動詞		
圧縮する	最大にする	デザインする	集める	考慮する	つなぐ
安定させる	参加する	展開する	暴く	最適化する	提案する
動かす	産出する	投資する	移行する	採用する	定義する
影響を与える	集中化する	捉える	迂回する	搾取する	抵抗する
改善する	修復する	売却する	受け入れる	査定する	統合する
回復する	取得する	配分する	生み出す	賛成する	特定する
拡大する	消費する	発展する	売り出す	支援する	配置する
加速する	救う	広げる	運用化する	指揮する	測る
競う	進める	防ぐ	得る	従う	発明する
鍛える	増減させる	増やす	応じる	実行する	引き起こす
業績を上げる	操作する	分散化する	応答する	実施する	否定する
加える	阻止する	減らす	遅れる	収束させる	評価する
減少させる	達成する	変換する	思いとどまらせる	周知する	分配する
購入する	中断させる	弱める	開発する	集中する	変更する
超える	調和する		革新する	重点を置く	補佐する
最小にする	費やす		活用する	進化する	学ぶ
			基準に従い評価する	浸透する	導く
			築く	進歩する	見つける
			規定する	生産する	見積もる
			繰り返す	戦略化する	無視する
			区分けする	対処する	有効にする
			権限を与える	助ける	要求する
			公開する	挑戦する	割り当てる
			更新する	作り直す	
			構築する	創る	
			合理化する	伝える	

継続

同じ方向に進み続ける必要があります。

パフォーマンス動詞	プロセス動詞
継続する	生き残る
	維持する
	延長する
	我慢する
	支持する
	持続する
	続行する
	対抗する
	耐える
	保つ
	留まる
	保管する
	保持する
	保存する
	守る
	持ちこたえる
	やり抜く

完了

たとえ失敗を認めることになったとしても、今やっていることを完了させる必要があります。

パフォーマンス動詞	プロセス動詞
打ち切る	諦める
打つ	打ち負かす
売る	落ち着かせる
終える	折り合いをつける
勝つ	解決する
避ける	解体する
去る	獲得する
成功する	完了する
立ち止まる	結論づける
中止する	下落する
出る	署名する
止める	達成する
取り除く	撤退する
破壊する	到達する
放つ	取り消す
辞める	封鎖する
	放棄する

> このように、動詞にはたくさんの言い回しがあります。行動を具体的にすることで、人々が何をしなければならないかが明確になります。

"すべては
行動することから
始まる"

PABLO PICASSO
スペイン出身の画家・彫刻家・
陶芸家・版画家・舞台芸術家

IV.

データストーリーとしてのエグゼクティブサマリーの構成

一連のストーリーの構造を活用する

ストーリーが語られると脳が活性化するように、ストーリーの構造を活用することで聴衆があなたのデータ視点を理解しやすくなることを想像してみてください。

ストーリーの強力な特性の一つは、その構造にあります。優れたストーリーにはフレームワークがあります。食事をしながらの個人的な話であれ、古典文学や映画の中の話であれ、優れたストーリーはたいてい同じような三幕構成になっています。

誰かがストーリーの一連のドラマを語るとき、それはまさに三幕構成とストーリーの中での緊張感の高まりとゆるみを話しているのです。右のグラフにy軸があるとしたら、そこには「緊張感」と書かれているでしょう。

ストーリーの構造

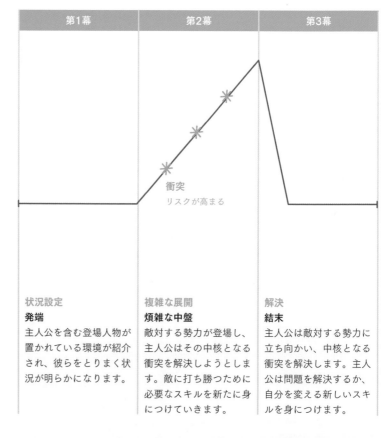

第1幕	第2幕	第3幕

衝突
リスクが高まる

状況設定
発端
主人公を含む登場人物が置かれている環境が紹介され、彼らをとりまく状況が明らかになります。

複雑な展開
煩雑な中盤
敵対する勢力が登場し、主人公はその中核となる衝突を解決しようとします。敵に打ち勝つために必要なスキルを新たに身につけていきます。

解決
結末
主人公は敵対する勢力に立ち向かい、中核となる衝突を解決します。主人公は問題を解決するか、自分を変える新しいスキルを身につけます。

右にあるピノキオのストーリー構成を
見れば、いかに中盤の状況が大変かが
わかると思います。多くの人はこれを
「煩雑な中盤」と呼んでいます。**第2
幕では、いくつもの衝突があり、主人
公はそれらを乗り越える覚悟を決めな
ければなりません。**ピノキオは何種類
もの葛藤や障害、誘惑を乗り越えてい
きます。最終的にピノキオは本物の男
の子になるという願いを叶えます。こ
こで、緊張感は解消されるのです。

　このような高度に構造化された3
幕の枠組みは、アリストテレスの
『詩学』にまで遡ることができます。
これは、人間の脳が情報を処理する
のに最適な方法でコンテンツを構成
するものです。どのようにストー
リーの力がデータストーリーに応用
されデータを伝える際に使われてい
るのかを見ていきましょう。

『ピノキオ』（1940年、映画）のストーリー構成

第1幕	第2幕	第3幕
おもちゃ職人のおじいさんが木彫りの人形ピノキオを作り、「本物の男の子になりますように」と星に願います。	ピノキオは命を吹き込まれますが、木製であり、本物の少年になるためには自分に価値があることを証明しなければなりません。騙されやすいピノキオは、詐欺師に誘われて旅公演に参加することになります。檻に閉じ込められた彼は嘘をつき、そのせいで鼻が伸びてしまいます。また、プレジャーアイランドでは、誘惑に負けていたずらを繰り返し、体の一部がロバに変身してしまいます。	ピノキオが家に戻ると、おじいさんはピノキオを探している間にクジラに飲み込まれてしまっていました。ピノキオはおじいさんを助けますが、その過程で死んでしまいます。

ピノキオは、自分を犠牲にして献身的に行動した結果、本物の少年として生き返る価値があることを証明したのです。 |
| 状況設定
発端 | 複雑な展開
煩雑な中盤 | 解決
結末 |
| | ⏢ピノキオはさまざまな葛藤を経て、運命を逆転させます。 | |

三幕構成を用いて
エグゼクティブサマリーを書く

提案書の中で最も重要なページの一つが、読み手との最初の対話にあたるエグゼクティブサマリー[1]です。読み手が提案書を読み続けるかどうかは、エグゼクティブサマリーの印象にかかっています。

ストーリーの起承転結は、エグゼクティブサマリーの構成にも応用できます。私たちはこの構造を「データストーリー」と呼んでいます。ストーリーの構造を利用することで、エグゼクティブサマリーは魅力的で記憶に残るものとなり、実際にストーリーのように読むことができます。

第3幕があなたのデータ視点であることに注目してください。これは、あなたがデータストーリーをどのように終わらせたいかを述べたものになります。

右図のデータストーリー構造は、 ▶ 三幕構成を踏襲しています。

データストーリーにおける三幕構成

データストーリーは、三幕構成に当てはめた、提案書の概要のことです。以下は、データストーリーとして書かれた非常に短いエグゼクティブサマリーです。

第1幕	第2幕	第3幕
発端 データが特定する問題や機会が存在します。	**複雑な中盤** データが問題や機会を示すため、進めるのが厄介です。	**結末** データ視点は、根本的な問題に着目し、良い結果をもたらす解決策を生み出します。
状況設定 地域ごとの平均購読更新率は62%です。 (but)	**複雑な展開** 西部地域では、23%の顧客しか契約を更新していません。 (so)	**解決** 西部地域での市場シェアを拡大するためには、地域の嗜好に合わせてコンテンツを調整する必要があります。

[1] 訳注：エグゼクティブサマリーとは、1〜2枚にまとめられた、提案書の要約のこと。経営層は多忙なため、資料の隅々まで読まず、エグゼクティブサマリーしか読まないこともあります。

第1幕

データストーリーの始まりは、現在の状況を明確にします。
データは、解決すべき問題や追求すべき機会を明らかにします。

第1幕では、あなたの組織が現在置かれている状況を紹介します。

データストーリーの例

	第1幕	第2幕	第3幕
データから見えてくる機会	**状況設定**　ソフトウェア開発者を目指す学生を対象とした大学構内での採用活動を2年間にわたり実施したところ、多数の学生が参加しました。	**複雑な展開**　学内説明会で会った新卒の候補者は、内定を承諾する確率が28%も高かったのです。	**解決**　内定承諾率を上げるために、採用活動を行う大学をさらに5つ増やすべきです。
データから見えてくる問題点	**状況設定**　ドイツのクライアントとの契約では、旅費のみ当社が負担することになっているため、コンサルタントは移動時間を稼働時間として請求することができません。	**複雑な展開**　海外出張費が前期比で3%増加したため、このクライアントから得られる利益は2%減少したのです。	**解決**　コストを下げるために、旅費と移動時間の両方を請求の対象に含めるという契約内容に変更するよう、交渉する必要があります。

煩雑な中盤の運命を変える

ストーリーの第2幕には、葛藤や衝突が多く生じます。この緊張感がストーリーを魅力的にし、解決策を探そうと、私たちの脳を刺激します。

『ロード・オブ・ザ・リング』に登場する主人公フロドのことを考えてみてください。オークの裏切り、ゴラム、毒蜘蛛、手に負えない状況、そしてもちろんサウロン自身もいます。しかし、それはほんの一部に過ぎません。観客はサウロンを応援し、自分と比較し、サウロンから学び、刺激を受け、そして最後にはすべてがうまくいくことに安堵するのです。

組織もまた同様に厄介なものです。欠陥のあるプロセス、抑圧的な規制、貪欲な株主、不満を抱えた顧客、壊れたシステム、そして自分たちを破滅させようとする攻撃的な競争相手の温床です。どのような組織であっても、健全なパフォーマンスを維持するのは大変なことですが、データを見れば、変更すべき厄介な点が見えてきます。一方で、データは、達成するのが困難かつ厄介な機会を明らかにすることもあります。どちらにしても、中盤は厄介です。

エグゼクティブサマリーの第2幕には、変更する必要のあるデータポイントが含まれています。あなたの提案が承認された場合に逆転する測定値は何か？　あるいは、新しい機会によって増加する数値はいくらか？　これこそ、まさに「厄介」なのです。数値を逆転させたり、アクセルをかけたりすると、誰かが行動を起こす必要があるため、多くの作業が生まれます。あなたのストーリーの中盤にある数字は、適切な行動を起こすことで方向性が変わります。

第2幕が変更する必要のあるデータポイントを含む場合

- データを反転させる
- データを継続する
- データを増やす
- データを減らす
- データを速くする
- データを遅くする

ほとんどのビジネスデータのパフォーマンスは、人間の行動によって左右されます。統計値を上げたり下げたりするのは、たいてい人間の行動です。例えば、「アウトプットが低すぎる」、「クリック率が低い」、「給与が高い」、「満足度が高い」、「回転率が低い」、「心拍数が高い」、「棚卸しが遅い」、「ルーティングが遅い」、「期日に間に合わない」、「注文した商品が損傷している」、「売上が下がっている」、「廃棄が多い」、「数量が横ばい」、「排出量が多い」などが挙げられます。これらのうち変える必要のあるデータはすべて、人間が適切な行動をとることで好転させることができるのです。

第2幕

データストーリーの中盤では、中核となる衝突が明らかになります。データは、何かしらの方法で変化させなければならない重大な兆候を明らかにします。

他者の行動が、このデータを望ましい方向に向かわせます。

データストーリーの例

	第1幕	第2幕	第3幕
データから見えてくる機会	**状況設定** クラウドサービスに関する新しいウェビナーで、過去最高の参加者数を記録しました。	**複雑な展開** ウェビナーで得られた642名の非常に有望な見込み客は、先月他のマーケティングチャネルを経て得られた同様の客数を22%上回る結果となりました。	**解決** マーケティング資金の使い道を四半期ごとに開催されるウェビナーに変え、有望な見込み客の流入を増やすべきです。
データから見えてくる問題点	**状況設定** 当社の平均的な売上債権回転日数は6月以降、10倍になっています。	**複雑な展開** 顧客のうち50名が30日間に支払うという条件を守っていません。	**解決** 利用規約に遅延損害金の規定をおけば、より強力なキャッシュフローを生み出すことができます。

データ視点を
第3幕として使う

主人公が敵を倒し、恋に落ち、黄金のゴブレットを見つけ、最後には英雄としてたたえられるというストーリーを誰もが好みます。そこに至るまでは大変ですが、最後には満足感を得られるからです。

第2幕が変更する必要のある厄介なデータポイントだとしたら、第3幕はそれを変えるために人々が行動を起こした結果、ストーリーがどのような結末を迎えるかを説明します。

本書で挙げた例では、75ページ、77ページ、79ページのすべての第3幕を見比べてみてください。エグゼクティブサマリーの第3幕は、あなたが提案した行動を人々がとった場合に、ドラマがどのような結末になるかを示すあなたのデータ視点そのものです。あなたが選んだ動詞は、組織、顧客、従業員、その他の人々がより有利な結果を得るための手段を示します。

すべてのデータ視点が、ハッピーエンドと認識される結果を生み出すわけではありません。時には、何かを中断せざるを得ないような動詞を選ばなければなりません。例えば、あなたのデータ視点が「赤字の製品を廃番にする」ことだとします。会社にとってはハッピーエンドかもしれませんが、その製品に思い入れのある従業員や顧客は悲しむかもしれません。このように、組織にとってはポジティブな決断でも、他の人にとっては悲しみを伴うことがあり、広く議論する際には慎重に計画を立てる必要があります（202～203ページ参照）。

他者に行動を起こさせることは簡単ではないこと[2]を経営層はよく知っています。**経営層は、あなたの提案を承認する前に、その提案のリスクと利益を比較検討しています。**「この厄介なデータを変えるための戦いは、目的に値するだろうか？　これによりリスクを被ることはないだろうか？　必要なときすぐに結果を得られるだろうか？」などと自問自答しているのです。

組織の最終的な目標は、より良い結果を得ることですが、そのためには、起こりうるひずみや葛藤を意識しなければなりません。

熟考を重ねて準備した提案が、却下されたり、保留にされたりすることがあれば、採用されることもあります。これは、複雑な中盤にある問題や機会が優先事項であると経営層がどれだけ認識しているか、そしてあなたのデータ視点が望ましい結果をもたらすと、どれほど信じているかによります。

アドバイス▶接続詞の「しかし」、「そして」、「なので」、にお気づきでしょうか。エグゼクティブサマリーでは、接続詞がフレーズをつなぎ、ストーリーを押し進めます。接続詞の選択肢については、付録を参照してください。

---

[2] 変化に応じたコミュニケーションの方法については、私とPatti Sanchezによる著書『Illuminate（イルミネート：道を照らせ。）』をご覧ください。

第3幕

データストーリーの結末は、複雑な中盤を解決し、
将来的に良い結果を生み出すためのあなたの視点そのものです。

あなたが提案した行動は、未来のデータを変えていきます。

データストーリーの例

	第1幕	第2幕	第3幕
データから 見えてくる機会	**状況設定** 私たちの業界では、マイクロチップの需要が減速しています。 _and_	**複雑な展開** 相変わらず市場価格の6%増しで支払っています。 _so_	**解決** サプライヤーとの既存の契約内容について交渉して、コストを下げるべきです。
データから 見えてくる問題点	**状況設定** 私たちの目標は、6カ月以内に製品Xの売上高を2倍にすることでした。 _and_	**複雑な展開** 最初の2カ月間で、営業部のポータルから資料をダウンロードした人は、全体のわずか3%でした。 _so_	**解決** 商品別の売上目標を達成するために、販売報酬体系を変更します。

"事実を教えてもらえれば、
私はそれを覚えるだろう。
真実を教えてくれれば、
それを信じるだろう。
しかし、
ストーリーを聞かせてくれれば、
それは永遠に
私の心に残るだろう"

アメリカ先住民の格言

V.

分析から
行動を生み出す

ロジカルな文章と
説得力のある文章を融合させる

ストーリーのもつ親しみやすさと、ロジックのもつ強さや信頼性を組み合わせた提案をすることで、データから導き出される判断を明確にすることができます。

承認を得るための提案書は、議論的な文章と説得力のある文章の融合によって生み出されます。なぜでしょうか? あなたは、ただ自分の調べた事実が正しいことを証明しようと議論を交えようとしているだけではありません。相手を行動に移させようと説得しているからです。

データに基づく提案は、両方の訴えを少しずつ融合させたものです。以下に、議論と説得の違いをまとめてみました。プロの論理学者には単純化しすぎに見えるかもしれませんが、ビジネスに応用する分にはうまくいくでしょう。

両タイプの訴えを融合した提案

	議論的な文章 (論理的訴え)	説得力のある文章 (感情的訴え)	提案書を書く (両方の融合)
目的	自分の視点が真実に裏打ちされたものであり、事実であるという説得力のある証拠を構築します。	聴衆があなたの視点に同意し、あなたの視点で行動を起こすよう説得します。	入手可能なデータに加えて直感を利用して、組織に行動を求める視点を形成します。
アプローチ	問題を2つの側面から捉えて、一方を正当とし、他方について相手方に疑問を抱かせることで、両面から情報を提供します。	問題の片側だけの情報や意見を届け、ターゲットとなる聴衆との強いつながりを築きます。	根拠に基づいたデータストーリーを作成し、聴衆の視点も考慮したと感じてもらえるように、想定される反論も含めます。
訴え	論理的な文章を用いて、確かな例、専門家の意見、データ、事実とともに主張を裏付けます。目標は正しくあることであり、必ずしも行動を起こすことではありません。	感情表現豊かな文章を使って、自分の意見や気持ちを相手に納得させ、聴衆が自分の視点で動いてくれるように感情に訴えかけます。	訴えかけたい内容をストーリーとして構成し、意味をもたせて記憶に残らせるために、データと確かな証拠で提案事項をサポートします(PART 4参照)。
トーン	プロフェッショナルに、機転を利かせて、論理的に。	主張を込めて、情熱的、感情的に。	聴衆に応じた適切なトーンで。

直感的に理解できる論理的な構造でなければ、経営層に（あるいは誰にでも）提案書を提出することはできません。明確な論理性がなければ、相手が要点を理解するのに時間がかかり、結果的に自分の主張を弱めることになります。あなたの提案とそれを裏付けるポイントが明確に理解されない場合、それはあなたが情報の整理に十分な時間をかけていないことを意味します。

学校の授業では、エッセイを書くときやディベートで勝つために、しっかりとした構造を作る方法を学んだと思います。ここで説明するのはそれと同じようなことです。構造自体が、何が重要か、またどんな優先順位かを伝えているのです。良い構造を作ることは、あなたの考えの論理性を他人に理解してもらうことにつながり、その過程であなたの思考のプロセスが強化されるのです。構造化の手段として最も広く使われているのは、アウトラインとツリー構造です。

右のツリー構造では、1番上の階層に他のすべての補足情報がぶら下がっていることに注目してください。**レコメンデーション・ツリーでは、1つにまとめられたこのポイントこそがあなたのデータ視点です。そこから下の階層のすべてのポイントが連鎖していきます。ツリー構造を使うことで、部分的な情報に惑わされることなく、全体を見渡す**ことができます。また、この構造は、あなたのデータ視点を直接サポートしていない、関連性のないサブトピックを除外する際にも役立ちます。

階層的な組織構造

レコメンデーションアウトライン

I. _____
　A. - - - - - - - -
　B. - - - - - - - -
　C. - - - - - - - -
　　　1. . . . .
　　　2. . . . .

II. _____
　A. - - - - - - - -
　　　1. . . . .
　　　2. . . . .
　　　3. . . . .
　B. - - - - - - - -

レコメンデーション・ツリー

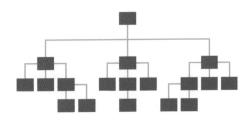

レコメンデーション・ツリーを作る

スライドソフトは、効果的かつ視覚に訴えかけるコミュニケーションツールです。提案をスライドで作成する場合、各スライドをツリー構造のノードと考えてください。

スライドの良いところは、1枚のスライドのスペースが限られているため、内容を絞り込むことができる点です。スライド1枚に載せるアイデアを1つに絞ることで各提案が独立したものとなり、スライドが論理的でありながら簡潔なものとなります。各スライドは、データストーリーをサポートするものであり、必要に応じて何枚用いても構いません。

スライドのレコメンデーション・ツリー構造には柔軟性があります。

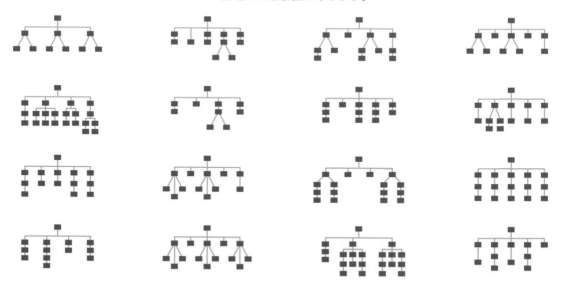

右の図は、3つの根拠で支えられたデータストーリーを表す
レコメンデーション・ツリーです。ポイントは必要に応じ
て増減して構いません。**本書では、シンプルにするため、
また、コンテンツをひとまとめにすると、より記憶に残りや
すくなることから、3本柱のツリー構造を使っています**[15]。

私たちは幼い頃から何事も3点にまとめて自分の意見を
説明するように教えられてきたので、この図には見覚えが
あるかもしれません。これは、古典的、論理的な議論や、
基本的なエッセイの書き方にも通じるものです。

右図の長方形をそれぞれ1枚のスライドに見立てます。
ツリーに必要なノード（スライド）の数に厳密なルールは
ありません。自分の主張を、できるだけ多くの裏付けをも
って伝えるために必要な数のスライドを使用してください。

アドバイス▶スライドを作成する際には、スライド一覧表示
　　　　　　　モードに切り替えて、すべてのドキュメントを
　　　　　　　表示し、構造や流れがすべてデータストーリー
　　　　　　　に対応しているかどうかを確認するとよいでし
　　　　　　　ょう。

３つの根拠をもつレコメンデーション・ツリー

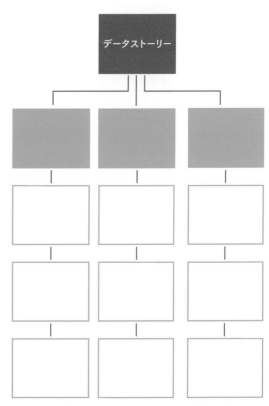

データストーリーを
サポートする行動を定義する

あなたが提案する行動を後押しするには、行動を細分化して伝えるのが一番です。例えば、走る（動詞）ときには、腕を振り、足を動かし、肺で呼吸をしなければなりません。それらはすべて補助的行動です。同様にデータストーリーを牽引する方法は、提案する主な行動を後押しするために、動詞を使った一連のフレーズを使うことです。

右の図の濃い青色で囲まれた「したがって私たちは〜する必要がある」というフレーズに注目してください。これは、実際にそのようなスライドを入れるのではなく、行動指針を作るための補助として入れています。テキストを完成させるための行動は何かという自問は、それを補助する行動を明らかにすることで、ストーリーを後押しすることができます。このフレーズは、「私たちは何をする必要があるのか」という質問を投げかけ、3つの補助的行動はすべて、「したがって、〜と、〜と、〜をする必要がある」といった具合に、質問に対する答えを示します。

私は仕事のミーティングや会話の中で、無意識に何度もこのフレーズを口にすることがよくあります。誰かが問題や状況について延々と話していたら、私は「結局何をする必要があるの？」と言って、話を中断します。これは、自分自身や自分のチームのメンバーが、問題を特定するのではなく、問題解決のための考え方を身につけるための素晴らしい方法です。

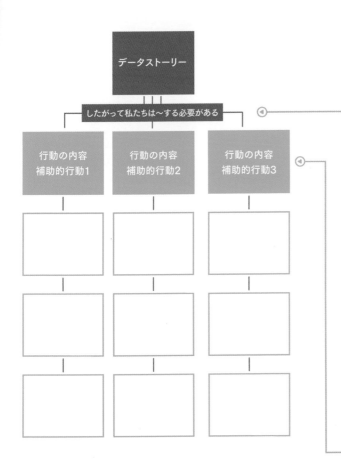

問題と解決策

「したがって私たちは〜する必要がある」というフレーズは、問題の記述と解決策提案の間の橋渡しをします。

同じ目的を果たす他のフレーズは以下の通りです。

結果的に、私たちは〜する必要があります。
このため、私たちは〜する必要があります。
よって、私たちは〜する必要があります。
この事実により、私たちは〜する必要があります。
この理由により、私たちは〜する必要があります。
それゆえ、私たちは〜する必要があります。
そのために、私たちは〜する必要があります。
おかげで、私たちは〜する必要があります。
つまり、私たちは〜する必要があります。
だから、私たちは〜する必要があります。

補助的行動が各スライドの見出しになります。

理由を説明して
モチベーションを上げる

提案を行う際によくある間違いは、真っ先に「何をどのようにすべきか」だけを述べてしまい、なぜを省略してしまうことです。

あなたの提案を受ける人は、ほとんどの場合、あなたが提案したことを実行しなければならない人たちです。彼らは、その行動がなぜ必要なのか、説得力のある説明を求めてくるはずです。なぜそれが重要なのかを明確に説明すれば、あなたの提案が受け入れられる可能性が高くなります。誰が行動を起こすのかを念頭に置くことで、良い根拠を形成することができ、その結果、提案の承認を保留にしたり、却下したりといった衝突を軽減することができます。

ただし、「なぜ」の裏付けをしすぎないように注意してください。すべての証拠をスライドに盛り込みたくなりますが、情報を盛り込みすぎると、あなたの視点が損なわれる可能性があります。

「なぜ」に答えることで説得力が増す

「なぜ、これをやらなければならないのか」と自問する

「なぜ、なぜ、なぜ、なぜ、なぜ」と自問し続けてください。これは、問題や機会の根本を探る原因分析と同じプロセスです。特に直観を働かせているときは、「なぜ」の答えが潜在意識の中に隠れていることが多いので、それを引き出す必要があります。

「なぜ」という質問の答えは、あらゆる状態を考慮することから得られることもあります。他に何が問題になっているのか？　どんなデータが不安要素を示していて、どう対処すべきなのか？　これをやったら、あるいはやらなかったら、その人の状態はどうなるのでしょうか？

断念したアイデアとその理由を共有する

あなたの提案が導いた可能性のあるさまざまな方向性に焦点を当てる

経営層があなたの話を中断する理由の一つは、あなたの提案が別の方向に進んでしまうかもしれないと考えるからです。例えば、商品の在庫切れが増えていて、その解決策を見つけるように命じられたとします。あなたは、より高速な生産設備の購入や生産スタッフの増員を思いつきますが、生産を遅らせる原因となっている部品を製造しているサプライヤーを買収するというアイデアにたどり着きました。

経営層は、生産設備を追加購入するという選択肢を好む可能性があります。その場合には、あなたがその選択肢について十分に検討したのか、またなぜそのアイデアを断念したのかを知りたがるでしょう。

What-Why-How に答えることで、各スライドの要点をサポートします。

この「何を、なぜ、どのように」(What–Why–How) モデルは、各スライドに構造をもたらします。これらを問う見出しを作ることもできますし、あるいはこのモデルを使って、各問いに答えているかを確認することもできます。

WHAT

WHY

HOW

◁ 「何を？」という質問は、「何をしなければならないのか？」という問いに対する答えを得られるので、明確な動詞が明らかになります。

「なぜ？」という質問は、「そもそも、なぜこんなことをする必要があるのか？」という問いに対する答えを得られます。読み手にとっては、それぞれのスライドの理解が深まります。

「どのように？」という質問は、プロセスに関する知見が明らかになり、「これをどのように実現するか？」という問いに対する答えを得られます。

自分自身に対して
懐疑的であること

あなたの提案の受け取り手は多かれ少なかれあら探しをするでしょう。彼らは、あなたのアイデアに本当に欠点があると考えているかもしれませんし、提案に基づいて行動を起こすことを避けるために争いの種をまき散らしているだけかもしれません。

あなたの提案の影響を受ける上司、同僚、直属の部下のことを考えてみてください。同様に顧客、株主、従業員のことを考えてください。

あなたのスライドを読む団体や個人についてじっくりと考え、彼らがどのように抵抗するかを予測してください。潜在的な反論には、提案の中で最も説得力のある部分で対処できるかもしれません。反対意見や反論についても考慮することで、提案事項がより正確かつ正当なものになります。

懐疑的になる

自分の立場が正しいことをデータが証明しているとしても、あなた自身のバイアスがかかった調査結果になっていないか再確認しましょう。

自分の考えに懐疑的な目を向け、敵対する立場を演じ、自分の主張を否定する可能性のあるデータやそこから発生しうるシナリオに思いを巡らせてみましょう。見過ごせない反論が見つかった場合には、スライドに記載しましょう。もし、熟考して別の代替的視点を提示できなければ、聴衆はあなたがそうした点を考慮しなかったと考える可能性があります。

「もし反論が正しかったら？」と自分に問いかけてみてください。また、答えが不明だったり確かめることができない問いについても注意を向けましょう。

反論を作成する

考えつくすべての反論を挙げたら、もとのデータまで遡り、照合させます。その上で、それらに対する反論を作成します。あなたの提案に反対の視点を述べ、証拠が反論をサポートしていないことを明確にしてください。あなたの提案が反論される可能性のある点をすべて検討しましょう。

転換語 [1]

あなたの提案に対する反論を挙げたあと、以下のような転換語を使って否定します。

〜には同意しません。

〜には全くもって同意しません。

〜には納得できません。

〜には反対です。

〜には賛成しません。

〜とは思いません。

〜には疑問を感じます。なぜなら〜。

〜を受け入れるのは難しいです。なぜなら〜。

〜には断固反対します。

〜は正しくありません。なぜなら〜。

---

[1] 訳注：転換語とは、ライティングの中で話題を転換させる際に使用する語のこと。

「もし〜ならば、これらは真実である」の記述で前提条件を含めた仮定を提案に含める

データを説明する際には、そのデータが示唆する未来の方向性を予測することにもなります。これは、前提条件に基づいて提案を行っていることを意味します。

前提条件には、統計における前提条件とビジネス上の前提条件の2種類があります。一般的な統計における前提条件 [16] には、ランダムなサンプル、独立性、正規性、等分散、安定性などがあり、測定システムが正確で精密なものであることを保証してくれます [2]。本書では、これらの前提条件ではなく、提案する際のビジネス上の前提条件を取り上げます。

未来を予測するためのビジネス上の前提条件

未来に何が起こるかを正確に知っている人はいません。たとえ優れたデータがあっても、科学的で野生的な推測（scientific wild-ass guess, S.W.A.G.）をするしかありません。データを使用して潜在的な結果を予測する場合、推測、推論、憶測、そして全くの当てずっぽうに基づいて事例を作っていることになります。何たることでしょう。純粋な人の中には、本書を閉じてしまった人もいるかもしれません。

ビジネス上の前提条件は主観的なものであるため、提案事項に到達するまでに含めた前提条件をすべて明らかにすることが重要です。よくある問題として、ビジネスで使用されるほとんどのデータは翌日には古くなっており、日々変化するデータセットが結論に大きく影響している可能性があるということです。

例えば、今後5年間の組織の利益を予測するために、財務に影響を与える要因について前提条件を立てることがあります。金利が一定であること、寄付者が現在の寄付率を維持していること、地域のオフィスの空室率が高いままであることなどの前提に基づいて、結論を出すことがあるでしょう。

経営層は、データを使って予測するためには、しばしば上記のような前提を置かなければならないことをよく知っています。彼らはあなたがそれらを率直に話し、それが何であるかを尋ねる必要がないことに、感心するでしょう。また、それらの正当性を示せるように準備しておきましょう。そうしないと、あなたの提案は疑わしいものとなってしまいます。

---

[2] 業界によっては、提案書にすべての統計における前提を含めることを要求されることがあります。あなたの業界ではそれが一般的かどうか調べてみてください。もし前提を求められる場合は、その前提がいつ調整されたのか、どの期間が欠けているのか、なども提案書に含めましょう。また、データが推論されたり、変数が欠けておらず、無作為抽出（ランダム・サンプリング）で生成されているか、正規分布しているか、といった点も提案書に含める必要があります。

提案の基礎となるビジネス上の前提条件の例

前提条件に依存する提案を行う場合は、「もし〜ならば、これらは真実である」の形式で記載します。

もし〜ならば、これらは真実である

収益が 2.5% の成長を続けていれば〜。

大きな経済変動が起こらなければ〜。

大きなテクノロジー革新が起こらなければ〜。

現在のスピードで雇用が継続していれば〜。

部品や附属品の供給が安定していれば〜。

予想外の競争相手が出現しなければ〜。

契約数の伸び率が維持されていれば〜。

時給が変わらなければ〜。

市場の状況が変わらなければ〜。

減給が続いていくと〜。

テクノロジー面での新たな発展がない場合〜。

調査対象者がすべて低所得者である場合〜。

IT システムへの投資を継続した場合〜。

現在のランレートに基づいて計算した場合〜。

> 未来を予測するためには、具体的な証拠がなくても、何が真実であり続けると仮定するかを明確にする必要があります。**ビジネスは流動的で常に変化しており、データが止まるのを待っていては意思決定ができません。**企業はたとえそこに大きな不安があっても、意思決定を行う必要があります。

レコメンデーション・ツリーの構成要素を確認する

ここまでに多くの内容を取り上げてきました。よいタイミングですので、ここでレコメンデーション・ツリーの構造を見ながら復習しましょう。この構造は、人の意思決定を助ける論理的な構造をしていて、スライドを作成する際に役立ちます。

右の図は、典型的なレコメンデーション・ツリーの構造です。各長方形は、スライドの候補を表しています。レコメンデーション・ツリーの構造の正解は1つではないですが、ここでは比較的シンプルなものを紹介します。

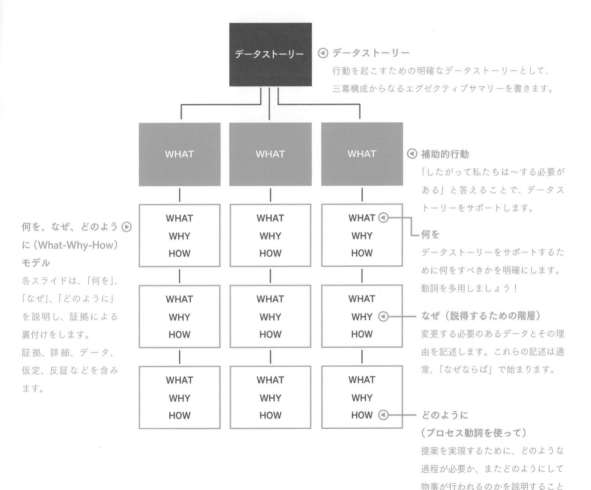

データストーリー

行動を起こすための明確なデータストーリーとして、
三幕構成からなるエグゼクティブサマリーを書きます。

補助的行動

「したがって私たちは〜する必要が
ある」と答えることで、データス
トーリーをサポートします。

**何を、なぜ、どのよう
に（What-Why-How）
モデル**

各スライドは、「何を」、
「なぜ」、「どのように」
を説明し、証拠による
裏付けをします。
証拠、詳細、データ、
仮定、反証などを含み
ます。

何を

データストーリーをサポートするた
めに何をすべきかを明確にします。
動詞を多用しましょう！

なぜ（説得するための階層）

変更する必要のあるデータとその理
由を記述します。これらの記述は通
常、「なぜならば」で始まります。

**どのように
（プロセス動詞を使って）**

提案を実現するために、どのような
過程が必要か、またどのようにして
物事が行われるのかを説明すること
で、あなたの提案を明確にします。

"私たちが必要としているのは、
データを管理し、
データでリードすることのできる
新世代の経営層である。
そして、そのデータに基づき、
ビジネスを組織化し
構築することができる
新世代の従業員も
必要としているのである"

MARC BENIOFF
Salesforce 創業者・会長兼共同 CEO

わかりやすい
グラフや
スライドを
作成する

VI.

適切なグラフを選択し
所見を記述する

誰もが理解できる グラフを選択する

最適なグラフを選ぶことで、データから得られる洞察を効果的に他者に伝えることができます。今日では、美しく魅力的なグラフを描く方法がたくさんあります。巨大なデータベースに効果的なビジュアルインテリジェンスを搭載することで、データが画面上に表現されて洞察を得ることができるようになるのです。データセットがますます膨大になるにつれ、グラフはより複雑で魅力的になっていきます。

複雑なグラフやおしゃれなビジネスインテリジェンス（Business Intelligence, BI）ツールを使うことで、データから新たな気づきを得ることができます。しかし、この新たな気づきを基に他の人に何かを説明したり、行動を起こしてもらいたい場合は、この気づきを視覚的にシンプルな方法で示す必要があります。

他の人が素早く明確にあなたの気づきを理解できるように、グラフや注釈はわかりやすい一般的なものを使う必要があります。そのため、**棒グラフや円グラフ、折れ線グラフなど、誰もが知っているグラフを使うのがよいでしょう。かっこよく見える最新のビジュアライゼーションツールを駆使しても、それが相手のためになるとは限りません。**データ分析の目的の一つは、相手にあなたの考えを理解してもらって同意を得た上で、相手の行動を促すことであることを忘れないでください。この目的を達成するためには、かっこよさよりもわかりやすさが大事なのです。

私は、BI ツールのすべてを無視しろと言っているわけではありません。BI ツールはデータの集計や探索、分析において非常に強力なツールです。しかし、最も大事なことは、自分がデータから得た気づきをできるだけシンプルなかたちで表現することで、相手にあなたの考えを理解して

もらうことです。このとき、一般的に最も最適なのが棒グラフや円グラフ、折れ線グラフです。

必要以上に複雑なグラフを使うと、グラフを読む人の認知的な負荷は上がりますし、重要な気づきを見落としてしまう可能性があります。

また、複雑なビジュアライゼーションは、とても高度なことをやっているように見えるため、グラフを見た人たちは自分で考えることをせず、そのグラフがバイアスを含まない正しいグラフであると認識してしまうことがあります。これは一見グラフを作成する人にとって有利に見えるかもしれませんが、私たちが本質的に目指しているのは、グラフを見た人が自分と同じような気づきを得て、同じ結論に至ってもらうことです。複雑なグラフを使うことによるリスクは 2 つあります。1 つ目は自分の導き出した結論が実際よりも正しく見えてしまうこと、2 つ目は重要な洞察が複雑さの中に埋もれてしまう可能性があることです。

多くの場合、組織に大きな影響を与える気づきは、驚くほどシンプルなグラフで表現されますが、複雑なグラフであってもそれが業界で一般的に使われているものであれば、そのグラフを利用しても構いません。

データの探索に用いるべきグラフ

複雑なグラフは魅力的で印象的に映ることもありますが、
要点がわかりづらいことが多いです。

データの説明に用いるべきグラフ

量を測る棒グラフ、割合を測る円グラフ、時系列変化を表
す折れ線グラフは誰でも簡単に理解できます。

⊛ これらのグラフは誰でも
簡単に理解できます！
誰でも！

グラフにわかりやすい
タイトルをつける

グラフのタイトルは、事実に基づいた中立的なタイトルである必要があります。そのためには、何が、どのように、いつ、測定されたのかを伝える必要があります。企業や政府などの組織では、人、場所、物といった具象名詞と、アイデアなどの抽象名詞を測ることで、組織の健全性をモニタリングします。

組織は日々名詞を測る

名詞

具象名詞	抽象名詞

人、場所、物
見ることができるもの

アイデア、感情、質、状態
見ることができないもの

具象名詞に関するデータは以下のように、数えたり、測ったりすることができる。

抽象名詞に関するデータは以下のように、観察したり、インタビューしたり、調査したりすることができる。

- **人**：病気休暇、人数、離職率などを測ることができる。
- **場所**：地域や位置情報を測ることができる。
- **物**：注文、在庫、単位を測ることができる。

- **従業員**：エンゲージメントを測ることができる。
- **顧客**：満足度を測ることができる。
- **市場**：認知度を測ることができる。

◁ 抽象名詞を測定するのは難しいです。アイデアや感情、質、状態などは、目に見えない主観的なものであり、正確に測ることができない場合もありますし、数値化できない場合もあります。しかし、目で見ることのできない大切なものもあります。

何を測定したのかを正確に把握することはとても重要です。例えば、顧客の数を測定しているのか、それともオンラインショップの顧客のうち実店舗でも買い物をした顧客の割合を測定しているのか、ということを把握することはとても重要です。このように、何を測定したのかをグラフのタイトルに反映させなければなりません。

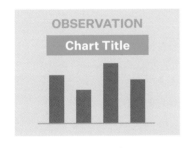

◉ **グラフのタイトル**

グラフのタイトルは可能な限りわかりやすくし、不必要な説明は入れないようにしましょう。つまり、いつ（日付または日付の範囲）、何の名詞を測定したか、の2点のみを記載します。どのような単位で測定したかは通常、y 軸に表示されます。

グラフのタイトルの例
このグラフタイトルは中立的です：
「2019 年の月次利益の割合」

このグラフタイトルは不適切です：
「今年は利益目標を達成しました！」

所見を記述する

グラフのタイトルが事実に基づいた中立的なものである一方で、所見はあなたがグラフから得た洞察を記述した主観的なものです。所見は、データから見つかった問題や機会に対するあなたの考えをサポートするものです。

所見はグラフを構成する短い文章で、グラフのタイトルの
上に配置したり、スライドのタイトルとして使ったり、
Slidedoc の主要な小見出しとして挿入したりすることがで
きます。

グラフの所見 [17]

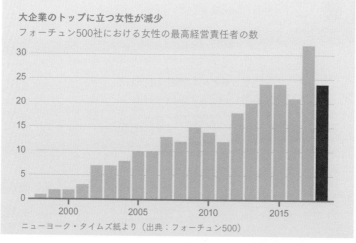

グラフのタイトル ▶

大企業のトップに立つ女性が減少
フォーチュン500社における女性の最高経営責任者の数

◀ 所見
グラフから得られ
る洞察、つまり主
要な洞察を把握す
るための一文です。

ニューヨーク・タイムズ紙より（出典：フォーチュン500）

所見であなたの考えを伝える

左のグラフは、ニューヨーク・タイムズ紙に掲載されたグラフです。ニューヨーク・タイムズ紙は自分たちにとって重要な所見を選びましたが、所見を「2017 年、上場企業の女性 CEO が急増」と書くこともできますし「女性 CEO は増加傾向にある」と書くこともできたのです。このように、所見を用いると、グラフの読み手が何に注目すべきかを伝えることができます。

所見では説明的な言葉を用いる

所見の説明には以下の 2 つの品詞を用います。

● **形容詞：名詞を説明するために使われます。**
　グラフでは、年間合計などの静的な量や、円グラフや滝グラフのように割合を示す際に形容詞を使用します。

● **副詞：動詞を説明するために使われます。**
　トレンドラインなどの時系列データに使用します。

品詞が苦手な方は、110 〜 115 ページのフレームワークを用いるとよいでしょう。

形容詞を用いて
棒グラフを表現する

棒グラフは通常、名詞の量や
大きさを表します。棒グラフ
を見る人は、各項目の棒の長
さや高さがどれくらいかを計
測することで、各項目の数値
を確認し、大きさを比較しま
す。

右に記載されている形容詞を
用いて、棒グラフの長さや高
さの違いについての所見を記
述してみましょう。

棒グラフで用いられる形容詞

最多の	最少の
拡大した	縮小した
最大の	最小の
高い	低い
〜より先の	〜より後の
長い	短い
強い	弱い
先行する	後行する
多い	少ない
〜より良い	〜より悪い
〜より大きい	〜より小さい
〜より多い	〜より少ない

ランク付けされた棒グラフで
用いられる形容詞

より多い	より少ない
最初の	最後の
上向きの	下向きの
先行する	後続する
最大の	最小の
上昇する	下降する

**分割棒グラフや浮動棒グラフで
用いられる形容詞**

広い ———————	狭い
開始している ——	停止している
始まっている ——	終わっている
左へ ———————	右へ
前方の —————	後方の
近い ———————	遠い
安定した ————	不安定な
非対称的な ———	対称的な

アドバイス▶データが作り出すグラフの形状を、「スキージャンプのようだ」、「坂道を転げ落ちるようだ」、「安堵の胸をなで下ろすように息を吐いているようだ」などと例えることもできます。

形容詞を用いて割合を
可視化するグラフを表現する

円グラフや滝グラフの特徴は、データ全体の中で最も重要な部分を素早く把握できることです。最も重要な部分を強調することで、グラフを読む人が各項目の大きさの違いを素早く理解できます。

円グラフ

円グラフは各項目の割合を視覚的に把握するためのグラフです。

各項目の割合ではなく具体的な数値の違いが重要である場合や、円グラフでは具体的な数値の違いを読み取れない場合は、円グラフではなく棒グラフを用いるとよいでしょう。

滝グラフ

滝グラフも割合を示すのに最適なグラフです。

滝グラフは積み上げ式の棒グラフで、棒の各項目をバラバラにして、各項目間の比率を明確に表したグラフです。滝グラフは、データの静的なスナップショットや、時間の経過に伴うデータの変化を示すことができます。

割合を可視化するグラフで
用いられる形容詞

大部分の	一部分の
割合が大きい	割合が小さい
同じくらいの	〜ほどではない
最大の	最小の
多い	少ない
主要な	小規模な
多数派の	少数派の
より多い	より少ない
最多の	最少の
すべての	一部の
重要な	些細な

円グラフや滝グラフは、各項目の割合や、項目間の割合の差を可視化します。

左に記載されている形容詞を用いて、割合を可視化するグラフの所見を記載してみましょう。

副詞を用いて
折れ線グラフを表現する

折れ線グラフは通常、ある量が時間経過とともにどのように変化したか、あるいは維持されていたかを示すために使用されます。線グラフに対して動詞を用いることで、ある量が時間経過とともにどのように変化したかを表現します。

折れ線グラフで用いられる動詞

改善する ——	停滞する・悪化する
飛躍する ——	低迷する
増加する ——	維持する・減少する
回復する ——	悪化する
上昇する ——	安定する・下降する
急上昇する ——	急下降する
わき立つ ——	急落する
好調になる ——	不調になる
ピークに達する —	減少する
上回る ——	下回る

複数折れ線グラフで用いられる動詞

近づく ——	離れる
収束する ——	発散する
連動する ——	独立する
重なる ——	遠ざかる

左に記載されている動詞を使って、時間経過とともに変化する折れ線グラフを表現してみましょう。

折れ線グラフで用いる動詞を副詞で修飾する

折れ線グラフを説明する際には、動詞に加えて副詞を使い、
時間経過に伴う変化や線同士の関係性を表現するとさらに
わかりやすくなります。

線の傾きがどのように上昇、下降するか、以下の副詞を使
って説明してみましょう。

1　劇的に、鋭く、急速に、迅速に、速やかに

2　実質的に、かなり、大幅に、着実に

3　適度に、顕著に、ゆっくり、徐々に、どんどん

4　わずかに、部分的に、少しだけ、最小限に

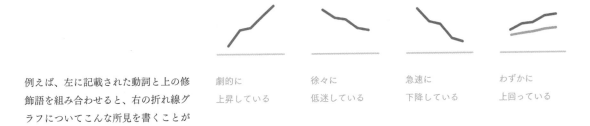

例えば、左に記載された動詞と上の修
飾語を組み合わせると、右の折れ線グ
ラフについてこんな所見を書くことが
できます。

劇的に
上昇している

徐々に
低迷している

急速に
下降している

わずかに
上回っている

"「観察」というスキルは現代社会で失われつつあるスキルである[1)]"

STANLEY KUBRICK

[1)] 訳注：原書では "observation is a dying art" までしか記述していませんが、このあと "The essence of dramatic form is to let an idea come over people without it being plainly stated" と続きます。Kubrick の映画は言語ではなく映像や音楽によってその内容を伝えることに特徴があります。そのため、この格言の引用は、言語情報に頼らず視覚情報を用いて相手に伝えることの大事さを主張していると捉えられます。

VII.

グラフに洞察を追加する

グラフに視覚に訴えかける 注釈をつける

さまざまな会社や組織で使われている、データに関するスライドを調査した結果、Duarte のデザイナーは素晴らしい方法でグラフに注釈をつけていることがわかりました。Duarte のデザイナーが世界に通用するデザイン力をもっていることがとてもうれしかったです。彼らは、データの中で最も重要な部分を説明するために、グラフに新しいレイヤーとしてシンプルな視覚的要素を追加する工夫をしています。

グラフに、視覚に訴えかける注釈をつけることで、あなたが伝えたいことをグラフを見た人が素早く理解することができます。グラフへの注釈には 2 つの役割があります。1 つ目は、グラフの一部をハイライトしたりラベルをつけることで、グラフの中で伝えたい点を強調することです。2 つ目は、グラフの一部を括ったり、グラフに線を加えたり、グラフの一部を分解したりすることで、グラフに数値を追加することです。122 〜 125 ページでは、これらの方法について紹介します。

グラフの中で伝えたい点を強調する

目立たせる
コントラストの強い色を選ぶことで、グラフの中で伝えたい部分が際立ちます。

ラベルをつける
大きくて視覚的に見やすいラベルをつけることで、グラフの中で伝えたい部分が際立ちます。

グラフに数値を追加する

データの一部を括る
括った範囲のデータの差や合計を、数値で表示します。

データに線を加える
ベンチマークや目標を線としてグラフに重ねてみましょう。これによって、ベンチマークや目標に対して現状の値がどれくらい不足しているのか、あるいは過剰なのかということに注意を向けることができます。

データの一部を分解する
特定のカテゴリをさらに細かいカテゴリに分解します。

アドバイス▶グラフへの注釈の実例を参考にしたい人は、duarte.com/datastory をご覧ください。

グラフの中で
伝えたい点を強調する

目立たせる

グラフの中で伝えたい点を強調するには、注目を集める必要のない要素には無彩色や灰色を使い、注目を集めたい重要な部分に目立つ色を使うとよいでしょう。

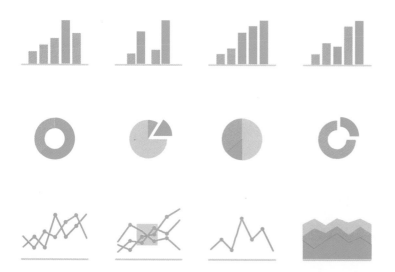

ラベルをつける

グラフの中の特定の数字を見落とさないようにするにはラベルをつけるとよいでしょう。ラベルには数字を大きく記載すると効果的です。

アドバイス▶ドーナツグラフとは、最も重要な項目の数字がドーナツの中央に記載された円グラフのことです。

グラフに数値を
追加する

データの一部を括る

グラフで数値を追加したい箇所にブラケットやボックスを追加します。このようにして、グラフの複数の項目を視覚的につなげた上で、加算・減算・乗算を行うとよいでしょう。例えば、円グラフの異なる項目を加算したり、2本の棒グラフの高さの違いを計算することができます。

データに線を加える

ベンチマークや目標を線としてグラフに追加します。この線を追加することで、現状の値がベンチマークや目標をどれだけ上回っているのか、あるいは下回っているのかが見えてきます。達成率はどうなっているのか、目標まで残りどれくらいなのか、が一目でわかるようになります。

データの一部を分解する

総売上高を地域別の売上高に分解できるように、一般的に、カテゴリにはサブカテゴリが含まれることがあります。サブカテゴリを強調したい場合、特定のカテゴリを示すグラフの一部を分解して別のグラフで表すのが最適です。

グラフから得た洞察を
視覚的にわかりやすくする

Duarte では、データを集計してグラフ化するための素晴らしいツールを使っています。そのツールで作成したグラフの一つが、以下のバブルチャートです。このバブルチャートの縦軸は週あたりの平均労働時間、横軸は請求可能な労働時間（billable hours）の割合、バブルの大きさは各従業員の請求不可能な労働時間（non-billable hours）を表しています。

このバブルチャートを見ると、各従業員の請求不可能な労働時間に大きなばらつきがあることがわかります。もし、請求可能な労働時間の割合の目標である 75%のところに縦線を入れたら、目標を達成した従業員が一目でわかるでしょう。しかし、このバブルチャートでは、グラフから気づきを得るための作業が煩雑すぎる問題があります。実際、どの従業員が効率的に働いているのか、誰が最もサービス残業してしまっているのか、といったことを確認するのには大きな労力がかかります。

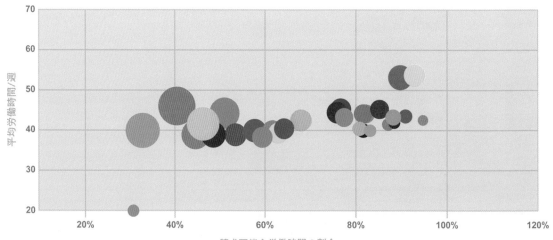

私は Duarte のデータアナリストに、グラフから気づきを得やすくするために新しいグラフを作ってほしい、また、特に重要だと思われる気づきには、注釈をつけてほしいと依頼しました。この依頼に対して彼は以下のグラフを作成しました。

匿名性の観点からバブルチャートに記載しているメンバーの名前は変えていますが、彼は対処すべき問題を特定し、シニアスタッフは労働時間が大幅に増えているにもかかわらず、全体の労働時間に占める請求額の割合が低いことを発見したのです。また、あるシニアスタッフは、昇進によって請求額が大きく減少していました。アナリストが明確な提言をしてくれたおかげで、グラフから洞察を得るまでの時間を節約することができました。

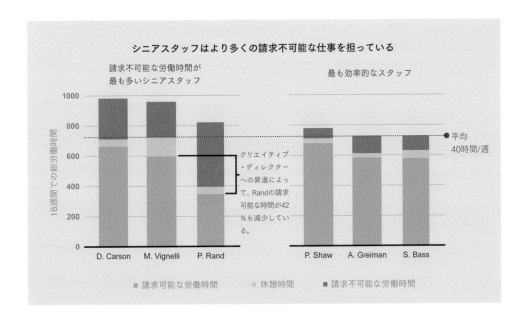

"デザイナーとは、
芸術家、発明家、機械工、
経済学者、戦略家が融合した
新しい存在である"

BUCKMINSTER FULLER
アメリカ合衆国の思想家・デザイナー・建築家

VIII.

読みやすい
Slidedoc を作成する

提案を Slidedoc に
まとめる

日々忙しく、時間に追われている現代社会では、人々は正確かつ素早く飲み込める情報を望んでいます。

このような現代社会において、素早く正確な情報を得ることを目的とする、Slidedoc[1] と呼ばれるビジュアルドキュメントが用いられています。Slidedoc は読んだり、配布されることを目的としたドキュメントで、プレゼンテーションソフトで作成することができます。経営層は、スライド形式で報告を受けることを好みます。スライドには1枚あたりで提供できる情報量に限度があります。コンテンツごとにスライドが分かれていることで効率的に読むことができ、また、スライド作成者も簡潔な表現を心掛けることができます。以下は、企業で提案に用いられるドキュメントの種類を示したものです。

コンテンツの密度に応じた提案方法

網羅的な文書
研究や深いリサーチ、経験や考えをまとめたもの
どの部署にも、メモ、レポート、マニュアル、ハンドブックなど、長くて内容の濃い文書があります。これらの文書では、詳細な情報がひたすら文章で記述されています。

説明用の Slidedoc
明確で読みやすい提案資料
Slidedoc は、情報量と読みやすさのバランスに優れています。そのため、会議の前に目を通したり、会議資料として配布されるのに適しています。Slidedoc はプレゼンテーションソフトで作成されていることが一般的で、文章とビジュアライゼーションの特長が組み合わさっています。

説得力のあるプレゼンテーション
プレゼンテーションにおけるビジュアルエイド
投影用のスライドは、あなたの言葉をサポートするための背景、もしくは舞台装置です。スライドの視覚的効果を利用することで、あなたの言葉に説得力のあるイメージが付加され、聞き手はあなたの伝えたいことを理解しやすくなるだけでなく、プレゼンテーションのあとでも話した内容を思い出しやすくなります。

---

[1] Slidedoc とはプレゼンをするための資料ではなく、配布して読んでもらう資料です。

多くの経営層は、あなたから洞察を得たいときに「5 枚の
スライドにまとめてください」と言います。経営層がこう
言ったとき、簡潔な Slidedoc を読みたいと思っているこ
とが一般的です。Slidedoc を用いて経営層の前でプレゼン
テーションをする機会はないため、Slidedoc には、それだ
けで経営層があなたの伝えたいことを素早くかつ十分に理
解できるだけの情報が含まれている必要があります。

人間の脳は、聴覚または視覚といった情報チャネルのうち、
1 度に 1 つのチャネルにしか注意を向けることができませ
ん。すなわち、あなたがプレゼンテーションをしていると
きは、聞き手はあなたの話を聞いているか、スライドを読
んでいるかのどちらかです。そのため、会議や正式なプレ
ゼンテーションの際には Slidedoc を投影することはほと
んどありません。もし Slidedoc を投影してプレゼンテー

ションするように言われたら、スライドが表示されてから
しばらくの間は聞き手にスライドを読む時間を与え、その
後、合意や決定を促すための会話をするようにしましょう。

Slidedoc では、1 枚のスライドに書くアイデアは 1 つにす
べきです。そのため、各スライドが独立したユニットにな
っています。スライドはモジュール化されているため、他
の人の Slidedoc に簡単にカット＆ペーストすることがで
きます。実際、素晴らしい Slidedoc は、アイデアを広め
るための最良の方法の一つです。優れたスライドは、人々
がそのスライドを組織の中で広めてくれる傾向があります。
これはまさに、あなたの評判を高めるための素晴らしい方
法です。

アドバイス▶ 会議の参加者が事前に Slidedoc を読んでいない
　　　　　　場合は、最初に 10 分ほど時間をとって、スライ
　　　　　　ドを再生して参加者に読ませましょう。スライ
　　　　　　ドを再生している間は発言を控えてもらい、そ
　　　　　　の後の議論のためのメモを取っておいてもらう
　　　　　　とよいでしょう。

Slidedoc を
ビジュアルブックとして考える

Slidedoc のフォーマットは、優れたデザイン本の特徴を取り入れ、また古くから使われている本の
フォーマットに従っています。本は、その構造を明確にするため、カバー、目次、章扉で構成され
ています。

Slidedoc は視覚的で目を通しやすいため、視覚的な階層構造が重要とされている雑誌のような位置づけと考えることができます。本の構成要素のうち、本文の前に付されるつきものを総称して「前付」と呼びます。おそらく皆さんも本屋でカバーデザインやタイトルに惹かれて本を手にしたことがあると思いますが、カバーは読者の目を引くことが多いため、自分のメッセージを伝える大きなチャンスとなります。カバーにはタイトル、作成者名、作成日が記載されています。また、タイトルやサブタイトルは、あなたの伝えたいことを簡潔にまとめたものである必要があります。

Slidedoc の前付の構造

タイトル、サブタイトル
本と同様に、Slidedoc のタイトルもつい読みたくなるようなものにしましょう。タイトルにはデータ視点を記載し、必要に応じてサブタイトルをつけて Slidedocのテーマを明確にしましょう。

作成者名
作成者名に加えて作成者の連絡先を書いておきましょう。Slidedoc が広く共有されたときに、あなたに連絡をとりやすくなります。

作成日
スライドの作成日は非常に重要な情報です。読み手に「これは最新の情報なのだろうか？」「いつ作られたものだろうか？」といった疑問をもたせないようにしましょう。

目次は、読み手が Slidedoc の構成を瞬時に把握し、提案の要点を理解するためのものです。目次にページ番号も記載しておくことで、読み手は気になる項目を素早く探すことができます。もし、スライドの枚数が 10 枚以下の場合は目次を入れなくてもよいでしょう。

目次は Slidedoc の前半部分に配置しますが、書くのは一番最後にしましょう。スライドを作成していると、スライドを削除したり追加したりすることがよくありますので、スライドの内容や順序が確定するまで、目次にページ番号は入れないようにしましょう。

目次の次のスライドは、エグゼクティブサマリーです。エグゼクティブサマリーでは、自分の考えを正確に伝えるために、箇条書きせず、文章できちんと記載するようにしましょう。

**ページ番号または
セクション番号**

Slidedoc をセクションで分ける場合は、そのページ番号またはセクション番号を記載します。

コンテンツへのリンク

目次の各項目には、各項目のスライドに移動できるようなハイパーリンク[2] を含めておくとよいでしょう。

エグゼクティブサマリー

エグゼクティブサマリーは、三幕構成に従うように書きましょう。忙しい経営層は Slidedoc のすべてを読まず、エグゼクティブサマリーしか読まないこともありますので、経営層に理解してもらうために、伝えたいことを可能な限りわかりやすく書きましょう。

---

[2] 訳注：ハイパーリンクをクリックすることで、読み手は気になる項目を素早く確認できるようになります。

読みやすいように
コンテンツを整理する

各スライドではコンテンツのレイアウトがきれいに構成されている必要があります。これによって、読み手はどこから読み始めて、どこで読み終わるのかを理解できるようになります。

スライドのタイトルとサブタイトルは、スライドの中でフォントサイズを最大にして、スライドの左上に配置することが一般的です。実際、ほとんどのプレゼンテーションソフトでは、タイトルのデフォルト位置が左上となっています。また、西洋社会では、左上から右下に向かって Z 型に読み進めていく文書が一般的です。

Z 型の読み方に則ってコンテンツのレイアウトを構成することで、読み手はスライドを素早く読むことができます。このように Slidedoc では、常にスライドの左上から右下に読むようにコンテンツのレイアウトを構成しなければいけません。

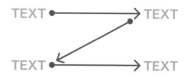

Slidedoc は、データ、画像、図表、文章の 4 つの要素で構成されています。この 4 つの要素を図示したのが下の図です。

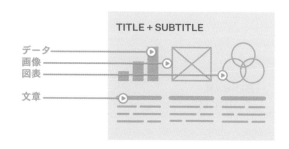

また右にあるさまざまなレイアウトを見てみましょう。スライドのタイトルがスライドの左上に配置されているのは変わりませんが、それぞれのレイアウトは異なって見えることがわかります。それぞれのレイアウトを見てみると、スライドが半分、3 つ、4 つに分割されています。スライドは 6 つまで分割することも可能ですが、それを超えると読みづらくなるためおすすめはできません。

2 段組み
スライドを半分に分割する

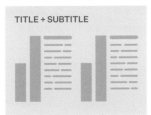

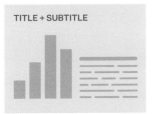

3 段組み
スライドを３つに分割する

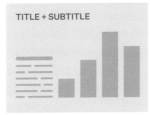

4 段組み
スライドを４つに分割する

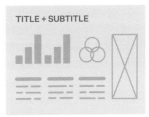

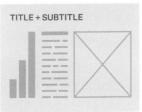

スライドフォーマットから逸脱することで
伝えたい点を強調する

今回調査した多くのスライドでは、重要な内容や指標、数値を強調させるためにパネル（右の図の水色部分）が使用されていました。

これまでは、タイトルをスライドの左上に配置した標準的なレイアウトの例を紹介してきました。

一方で色のついたパネルをスライド上に縦や横に配置することで、読み手に注目してもらいたい点を強調することができます。パネルは、注目してもらいたい要素を大きく表示させて目立たせたり、簡潔なサマリーや重要な結論を記載するのに適しています。

スライドの左のパネルにタイトルとサブタイトルを記載する
左に配置したパネルに読み手に必ず読んでもらいたいスライドのタイトルやサブタイトルを記載し、タイトルやサブタイトルを一番最初に読んでもらいます。これは、セクションの1枚目のスライドだけではなく、タイトルに読者の注目を集める必要がある場合には、セクションの途中のスライドであっても、用いることができるテクニックです。

スライドの下、もしくは右のパネルに
重要なポイントを記載する
前述したように、人はスライドを左上から右下に向かってZ型に読みます。そのため、スライドのサマリーや重要なポイントを記載するパネルは、スライドの下か右に配置します。パネルを下か右に配置することによって、読み手が最も重要なポイントを十分に理解できるようになります。

パネルを利用して強調するレイアウトの例

大きく表示された統計データ

パネルは非常に目立つため、大きく見せたい統計データを表示するのに適しています。

必読の
文章を強調する

スライドの重要な部分に読み手が気づくように、重要な文章は強調しましょう。文章を強調するにはいくつかの方法があります。雑誌、新聞、ウェブサイトなどでは、何十年にもわたってこれらの手法が使われてきました。以下に、異なる手法を用いて、エグゼクティブサマリーの文章を強調する例を示します。

文章を強調する 5 つの手法

文中の文字の特徴を変える

文字の色や書体（太字や斜体など）を変えて、目立たせたい文章を強調します。ちなみにイエス・キリストの言葉に赤い色が使われている聖書もあります。

文章をハイライト表示する

該当箇所を塗りつぶすと、文章に蛍光ペンが使われているように見えます。暗い色の文章には明るい色の塗りつぶしを、白い色の文章には暗い色の塗りつぶしを使用して文章を強調します。

文章の配置を崩す

文章がきれいに配置されている場合、境目を崩すように目立たせたい文章を配置することで、強調させます。

特大サイズの引用符を用いる

引用文を強調したい場合は、引用符を
大きくすることでその重要性を強調し
ます。

文章を図形内に配置する

文章を図形内に配置することで強調さ
せます。図形は色で塗りつぶしたり、
枠線を引いたりすることがあります。

アドバイス▶ Slidedocs.com では、美し
いレイアウトと機能性を備
えた Slidedoc のテンプレー
トを無料で提供しています
のでご覧ください。

レコメンデーション・ツリーで Slidedoc の構成をおさらいする

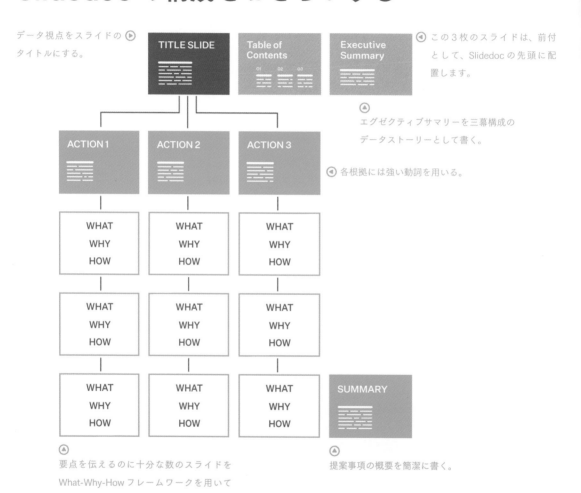

データ視点をスライドの ▶ タイトルにする。

◀ この3枚のスライドは、前付として、Slidedoc の先頭に配置します。

▲ エグゼクティブサマリーを三幕構成のデータストーリーとして書く。

◀ 各根拠には強い動詞を用いる。

▲ 要点を伝えるのに十分な数のスライドを What-Why-How フレームワークを用いて作成する。

▲ 提案事項の概要を簡潔に書く。

TITLE SLIDE

Table of Contents

Executive Summary

ACTION 1 / ACTION 2 / ACTION 3

WHAT WHY HOW

SUMMARY

作成した Slidedoc を印刷して壁に貼るとしたら、左の図のような構成になるでしょう。提案に広範な調査が必要な場合や、戦略的に重要な意味をもつ提案の場合は、これよりも多くのスライドが必要になる場合もあります。

参考資料は付録に入れる

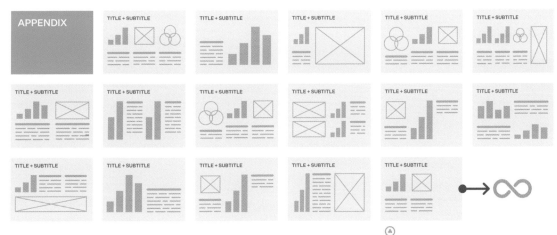

付録（Appendix）のスライド枚数は多くなっても構いません。Slidedoc を読んだ人がより深い内容を知りたい場合に備え、きちんと用意しておきましょう。

レコメンデーション・ツリーに当てはめて Slidedoc の構成を見直す

右の図は、Thompson Instruments の IT ディレクターが、IT インフラの刷新への投資を経営層に提案するために作成した Slidedoc です。

Slidedoc には、スライドのタイトル、目次、エグゼクティブサマリーがあることに注意してください。経営層への提案は、3 つの見出しによって構成されています。それぞれの見出しは、What-Why-How に答える、緻密でありながら読みやすいコンテンツとなっています。

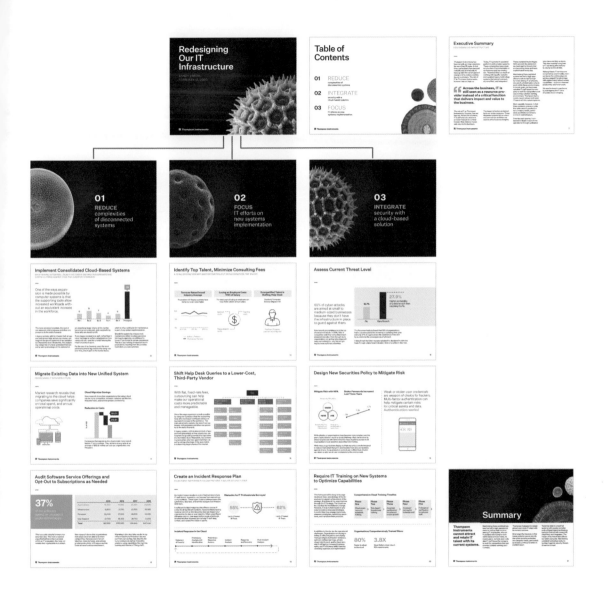

"よいデザインは、
よいビジネスになる"

THOMAS WATSON, JR.
IBM 2代目社長

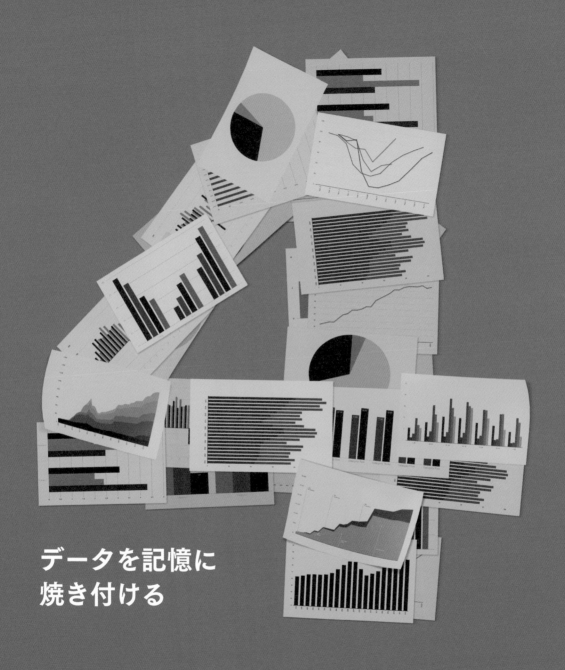

データを記憶に
焼き付ける

IX.

規模感の
表現方法を知る

データを親しみのある
何かに結びつける

私たちは、人間が到底理解できないようなスケールの数字を使うことがあります。目で見ることのできない大きさを、どうすればイメージできるようになるでしょうか?

聴衆にデータの規模を理解してもらうために、彼らにとって身近なものと比較してみましょう。2018 年に Jeff Bezos の純資産がニュースで騒がれたとき、Neil deGrasse Tyson はこうツイートしました。

> "誰にも聞かれなかったけれど、@JeffBezos(Jeff Bezos の Twitter アカウント)の 1300 億ドル(紙幣)を端から端まで並べると、地球を 200 周回し、さらに月まで 15 往復して、残ったお金で地球をさらに 8 周回することができるんだ [18]"

なんだかすごそうですね。でも、月までどのくらいの距離があるのでしょうか?
計算すると、23 万 8,000 マイル [1) になります。なるほど。それでもまだ想像しにくいです。なぜなら、私たち一般人は、1 度の旅行でこれほどの距離を移動したことはなく、長くても 1 万マイル程度だからです。もし Tyson が、「1 ドル札を 1300 億枚重ねた厚さは 8,822 マイルで、これはアメリカを車で 3.4 回往復するのに相当する」と言っていたら、もっと理解できたはずです。

Forbes の記事も Bezos の財産を測る参考になります。彼の年収を知るために、2017 年と 2018 年の純資産の差を計算したのです。さらに Amazon の年収中央値である 28,466 ドルの約 157 倍に相当する 4,474,885 ドルという驚異的な時給で表すことで、親しみやすくしました。さらに細かくすると、1 分あたり 74,581 ドル、1 秒あたり 1,243 ドルとなりました [19]。

今日、私たちが使っている数字の多くは、具体的に想像することができません。2004 年、Facebook のユーザー数が 20 億人に達しました。2018 年、Apple は純資産 1 兆ドルを超える初の上場企業となりました。2018 年 12 月、アメリカの国家負債は 21 兆 9700 億ドルに達しました。これらの金額はどのように表現すれば理解することができるでしょうか?

Steve Jobs は、新製品を顔の近くで見せました。その様子が巨大なスクリーンに映し出されたとき、聴衆はそのサイズ感をすぐに把握することができました。

---

1) 訳注:1 マイル=約 1.6 キロメートル。ここでは約 38 万キロメートル。

規模感を印象づける

データは常に正確であるべきです。しかし、他人に大きさを理解してもらうためには精密さは重要ではありません。数字のもつ規模感を素早く伝えるためには、おおよその比較対象を見つけることが大切です。

あなたが精度にこだわる場合には、本章は読み飛ばした方がよいかもしれません。しかし、そんな人こそ本章から多くのものを得られるはずです。

先述した Bezos の例だと、1 ドル札の薄さを示す米国財務省の計算値（0.0043 インチ[2]）は納得できる値だと思うでしょう。あなたは、印刷されたばかりのドル紙幣と流通してからしばらく経ったドル紙幣の厚さのわずかな違いを気にしますか？　人々は 1 ドル札の厚さの感覚をもっているので、大きさを把握するために、わずかな違いは問題にならないのです。

規模感の一般的な表現

数字の大きさや小ささを他人に理解してもらうのは難しいことです。人間にとって身近で親しみのあるものと比較することで、その数字をより明確にしましょう。

大きさ
親しみのある大きさと比較する

距離
知っている距離と比較する

時間
まとまった時間と比較する

速度
何かが動くときの速さと比較する

[2] 訳注：1 インチ＝ 2.54 センチメートル。

重さに関しての規模感

計測方法には、先述した計測方法のように良い比較対象を見つけるのが難しい場合もあります。なぜなら、私たちの脳は直感的な感覚を明確にするのが得意ではないからです。

重さ

重さは、ビジネスでは一般的な計測方法ですが、目に見えるもののようには理解できません。重さの感覚は、大きさに応じて脳で作られますが、誰もが経験しているように、大きさと重さは必ずしも思った通りには相関しません。大きなものがかなり軽かったりします。また、一般的に手で持てる重さよりも重いものは、重さの感覚がつかみにくいものです。水筒を持って重さを感じることはできても、100万本の水筒の重さを理解できるでしょうか？ おそらく無理でしょう[3]。

高さ

高さは、長さや距離に比べて私たちにとってあまり親しみがありません。私たちは自分の身長や、自分の目の高さにかなり近い位置にあるものの高さについての感覚はもっています。例えば、電柱、ビルの各階の高さ、ゴールポストなど、よく目にしたり、身近にある高さについては感覚的にわかります。しかし、身近な範囲を超えた高さについては直観的に感じることができなくなります。パイロットでもない限り、「1マイルの高さ」と言われてもピンとこないでしょう。なぜなら、それだけの高さの建造物が私たちの周りにないからです。

ミクロの世界

ミクロの世界では、人間の髪の毛の太さと砂粒の大きさは大きく異なります。しかし、私たちはそれを目で見たり、触ったりして認識することができません。顕微鏡をよく覗く仕事をしていない限り、マイクロスケールでの量の比較は気が遠くなってしまいます。しかし、非常に小さなものがあなたが理解できる大きさのものに収まるかを表現することができれば、その大きさをかなりの正確さで伝えることができます。例えば、ティースプーン1杯の5分の1の水の中には、10億個ものバクテリアが泳いでいると言われています[20]。これでバクテリアがどれほど微小であるかということが伝わります。

読み手は、数字の大きさを想像させられるよりも、それを目で見たり、感覚をもてた方がはるかに理解しやすいのです。数字をグラフにしても、軸の目盛りがわかりにくいこともあります。その場合には、身近なものに例えてみましょう。

---

[3] 直径約6.5cmの500mlのペットボトル飲料を基準にすると、100万本でフットボール会場の4分の3（正確には75.35204%）が埋まることになります。重さを考えるより、こうやって想像する方が簡単でしょう。

データを親しみのある 大きさに結びつける

身の回りにあるいろいろな物の大きさを比べてみましょう。同じくらいの大きさの物や、半分くらいの大きさの物などを探してみてください。

次に、身の回りにない身近な物で、それと同じくらいの大きさの物を想像してみてください。簡単にできると思います。私たちの得意分野ですから。

多くのグラフは量を示すものですが、その量を他の物の大きさに換算してみましょう。軸となる数字が 100 万以上の場合、それを何かの大きさに換算します。例えば、自社製品の売上が 100 万個減少したとしたら、その量の製品が、営業チームのいるガラス張りの高層ビルの半分を埋めてしまうかもしれません。また、100 万ドルを積み上げたり、端から端まで並べたりすることで、対象となる量のスケールを理解してもらうことができます。

親しみのある長さ

長さ、幅、または高さ
（厚さや距離も同様）

一般的な計測単位
直線状のインチ、フィート、ヤード、マイル、センチメートル、メートル、キロメートル。

親しみのある長さの例
自分の身長、手、足、腕の長さ、クレジットカード、車線の幅など。親しみのある距離の例としては、陸上競技場のトラックを 1 周する距離、州を横断する距離、2 つのビルの間の距離、家から職場までの距離などです。

数字で表現
2008 年、Steve Jobs は MacBook Air を発売し、厚さ 1.94cm の「世界最薄のノート PC」を謳いました。

親しみのある表現
プレゼンテーションのとき、Jobs は封筒からノート PC を取り出し、その薄さをアピールしました。

親しみのある面積

面積
（長さ×幅）

一般的な計測単位
平方インチ、フィート、ヤード、エーカー、マイル、センチメートル、メートル、キロメートル。

親しみのある面積の例
サッカー場、バスケットボールコート、街区、市域など。日本では、部屋の面積は収容できる畳の数で表しますが、これはおよそ 3 平方フィート⁴⁾ です。場所は通常、面積で測ります。

数字で表現
160 万平方キロメートルを超える「太平洋ゴミベルト」は、海流によって大量のプラスチックゴミが集められた海域です [21]。

親しみのある表現
この巨大な人災は、テキサス州の 2 倍の広さに及びます。

親しみのある体積

体積
（長さ×幅×高さ）

一般的な計測単位
立方インチ、フィート、ヤード、センチメートル、メートル。

親しみのある体積の例
ビル、スタジアム、オリンピックプール、輸送用コンテナ、飛行機など。私たちが目で見て、手で触れて、親近感をもてる物がよいでしょう。例えば、飛行船はボリューム感がありますが、飛行機のような親近感はありません。

数字で表現
Apple が開発した iPhone 6s のパッケージは、第 1 世代の iPhone と比較して、航空会社の輸送コンテナに 50％多くの台数を搭載することができました。

親しみのある表現
輸送に関して、以前は 4 機の貨物機を必要としていたものが現在では 2 機の貨物機で運用されていることから、Apple はこの統計を CO_2 排出量の削減に結びつけました [22]。

---

4) 訳注：約 0.27 平方メートルのこと。ただ実際には、地域差はありますが、1 畳の面積は約 1.62 平方メートルが目安です。

データを親しみのある
時間に結びつける

時間と速度は、ともに私たちの生活に関連することが多いので、比較のための良い材料となります。例えば距離を伝えるには、時間×速度＝距離なので、車や飛行機に乗り一般的な速度で目的地まで行ったならば、どれくらいの時間がかかるかを伝えるのがよいでしょう。

所要時間

 時間

一般的な計測単位
秒、分、時間、日、月、年、10 年。100 年という時間のスケールに共感できる人はほとんどいません。

親しみのある時間の例
就労時間、都市間のフライト時間、シットコム（ドラマ）の放映時間、TED の講演時間、ポップコーンを電子レンジで加熱する時間、卵を茹でる時間。

数字で表現
私たちの複雑なデータは、処理に 23 〜 26 時間かかります。

親しみのある表現
複雑なデータをシステムから引き出す旧来のプロセスでは、ニューヨークからシドニーまで飛行機で移動するのと同じ時間がかかり、終了するまで少し待たなければなりませんでした。プロセスの改善により、今ではニューヨークからロサンゼルスへ飛ぶのと同じくらいの時間でできるようになりました。

走行速度

 速度
（距離×時間）

一般的な計測単位
1 時間あたりに進んだマイル数、またはさまざまな場所に移動するためにかかる時間。

親しみのある速度の例
まばたき、歩く速度、法定制限速度、ジェットコースター。理解しにくい速度は、ミリ秒や CPU のクロックサイクル。

数字で表現
月は地球から 26 万 8,000 マイル離れていますが、それは実際にはどのくらいの距離なのでしょうか？

親しみのある表現
宇宙学者の Fred Hoyle によると、時速 60 マイルで車を空に向かって走らせると、約 1 時間後には宇宙空間に出てしまうそうです。また月へ行くには、ノンストップで 4,000 時間（約半年）かかり [23]、太陽までの 9,296 万マイルを時速 65 マイルで走ると 177 年かかるそうです。

大きさ、時間、距離を混ぜ合わせて比較する

量、大きさ、距離、時間、速さなどで規模感を認識するのは一般的です。なので、これらの尺度を組み合わせて使うことも、数字に親近感をもたせる方法の一つです。

面積で比較する

- **計測方法**：このテキストの冒頭にある水色のビュレット（箇条書きマーク）は、1 平方インチの 20 分の 1（0.05）、つまり 1.27 ミリです。
- **比較**：このビュレット（ ● の記号）100 万個でほぼ 31 ページが埋まります。10 億個で 30,864 ページ、1 兆個では 30,864,197 ページで、本の厚さは約 1.22 マイルになります[5]。

時間で比較する

- **計測方法**：100 万秒は 11.57 日、10 億秒は 31.7 年、1 兆秒は 31,688 年です。
- **比較**：1 日 100 万ドルずつ使っても、1 兆ドル使うには 2740 年までかかります。

距離で比較する

- **計測方法**：1 ミリというと、ペーパークリップやギターの弦、クレジットカードなどの厚さに相当するので、かなり小さいと思われます。
- **比較**：100 万ミリは 1 キロメートル（ニューヨーク市の約 12 ブロック）、10 億ミリはラスベガス・ストリップの長さ（4.2 マイル、6.8 キロメートル）の 150 倍にあたる 1,000 キロメートル、1 兆ミリは地球 25 周に相当する 621,371 マイルです。

Duarte が提供する講座では、データの比較について、クレイジーな方法を思いつく人たちがいます。例えば、ある参加者は次のように計算しました。「LinkedIn のすべてのミーティングが、歯磨きの推奨時間と同じくらい遅延したら、1,250 人分の人手が足りなくなってしまうでしょう」。また別の人は、自分のデータを「ザ・シンプソンズ」の全 552 話を一気見できるくらいの時間だ、と計算しました。

[5] 訳注：原書の寸法は 23.5cm × 23.5cm で本書より大きいため、数に差があります。

データを親しみのある
事柄と比較する

大きさ、時間、速さなどを使って数字を理解するだけでなく、さまざまな名詞（人、場所、物）を
比較して量や規模を理解することもできます。

親しみのある大きさのモノと比較する

物理的な物体の規模を示す場合は、聴衆にとって身近な物
を近くに置いてみましょう。他のアイテムの中、上、下、
隣、前など、近接した場所に物を置くことで、スケールを
明確にすることができます。

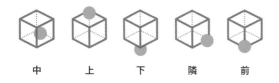

中　　上　　下　　隣　　前

人を収容できる物に関しては、中にどれくらいの人が入る
かを表現すると、人々が規模を理解するのに役立ちます。
一般的に、従業員、顧客、患者、学生は、バン、バス、飛
行機、ビル、アリーナ、病院、スタジアムなどにいるから
です。

例えば、100万人のユーザーがいるとします。その量を、
スタジアムに座れる人数に例えると、聴衆は実感しやすく
なるでしょう。例えば、サンフランシスコ・ジャイアンツ
の野球場は 41,915 席あります。だから、「私たちのユー
ザーは、サンフランシスコ・ジャイアンツのスタジアムを
24 倍近く埋めることができます」と言えるのです。正確
に計算すると、23.85780746749374 倍なのですが、近似値
がいかに役立つかわかりますね！

また、Steve Jobs は初代 iPod を寸法やメガバイトの量で
はなく、私たちにとって身近なものであるポケットの大き
さに例えました。

> "実は今、私のポケットに入っています。
> この優れた小さなデバイスには 1000 曲もの音楽
> が入っていて、それが私のポケットに入っている
> のです" —Steve Jobs

データについて
感じたことを伝える

結果に対する自分の感情を表現しましょう。重要な数字（会社の利益など）が急上昇した場合、それを祝いましょう。反対に暴落した場合は、どれほど悲しいかを知らせましょう。

感情的な言葉とフレーズ

自分が感じたことを表現するフレーズを使いましょう。「信じられるかい？」「なんて素晴らしいんだ！」「みんなが大切にしている会社を再建できて、とってもいい気分だよ」「これは悲しい。本当に悲しいことだ」

感情を表現する音

グラフが動く物体だとしたら出すであろう衝撃音や急な方向転換によるキーッという音を言葉で表すことができます。Jobs は、製品デモの速さに興奮したとき、公の場でのキーノート（基調講演）で 79 回も「ブーン！」という言葉を使いました。

- **爆発**：ブーン、バン、ポン
- **衝突**：ガシャーン、バン、ガシャン、ドシン、バシッ、
  ドーン、ドカーン、ゴツン、ガツン
- **高速**：ギュューン、ヒューン、シュパッ、ビュン

感嘆詞

感情を表す短い感嘆の声です。これらはドラマチックな効果をもたらすのに最適なもので、後ほど紹介します。

ポジティブな感嘆詞 [24]

安心：ああ、おお、ふぅ、ヒュー

達成：へぇ、すごい、万歳、イェーイ

感動：わあ、わぁーい、やった、ヤッホー

驚き：なんと、あちゃー、なんだって？、あらら、うわぁ

畏敬：あぁ、ワォ、ウォー、うわぁ

ネガティブな感嘆詞

落胆：えぇ、あれれ、げっ、おえっ、あーあ、うへぇ

軽蔑：ヒエー、うわぁ、キモッ、ガックリ、ひどいな

不満：あぁもう、嫌だな、キャー、グルル、
　　　　おやまぁ、はぁ、おいおい

嘲笑：トホホ、なんだよ、あーやれやれ

修辞的な質問（修辞疑問文）

この質問は、聴衆にあなたの主張をさりげなく納得させる
方法です。

偉大なスピーチを研究している私は、Jobs が行ったすべ
ての講演を記録しました。彼は聴衆を惹きつけるために、
しばしば修辞的な質問をしました。

STEVE JOBS

"ご存知のように iMac は 8 月 15 日に出荷を開始し
ましたが、この年末までに何台の iMac が出荷さ
れたのでしょうか？〈修辞的な質問〉 私たちは
素晴らしい台数を出荷しました。〈感情的な言葉〉
80 万台の出荷です。4 カ月半で 80 万台の iMac
を出荷しました。計算してみると、毎週末、毎日、
毎時、毎分、15 秒に 1 台ずつ出荷されたことに
なります。 この瞬間、世界のどこかで iMac が売
れているのです。〈親しみのある時間表現〉 私た
ちはこれに感激しています。〈感情的な言葉〉 お
かげさまで、iMac はアメリカで最も売れている
コンピュータモデルとなり、私たちはとても喜ん
でいます〈感情的な言葉〉"

BONO

ロックバンド U2 のボーカリストの Bono が 2013 年に行
った TED トークでの講演について、ロサンゼルス・タイ
ムズ紙によると、Bono は「魂を打ち砕くような貧困」に
苦しむ人々の割合が、1990 年には 43% だったのが 2010
年には 21% にまで減少したという統計を示しました。彼
はこう叫びました。

"この回復の軌道に乗れば、2030 年に、1 日 1.25
ドルで生活する人の数がどのくらいになるか見て
みましょう。信じられますか？〈修辞的な質問〉
このまま進めば、ワォ！〈感嘆〉 0 人という数
字になるのです"

Bono は、極貧対策の進展を示す統計データを紹介しまし
た。最初のデータでは、5 歳未満の子どもの死亡率が大幅
に低下し、1 日に亡くなる子どもの数が 7,256 人も減少し
たことが示されました。

"これほど重要な数字を、今まで目にしたことがあ
ったでしょうか？〈修辞的な質問〉 人々がこのこ
とを知らないことに、私はどうにかなってしまい
そうです〈感情的な言葉〉[25]"

"非常に小さな大きさの物体は、
あなたが直接経験したことのないような
振る舞いをする。
波でもなく、粒子でもなく、雲でもなく、
ビリヤードのボールでもなく、
バネにつけたおもりでもない、
今まで見たことのないような
振る舞いをする"

RICHARD P. FEYNMAN

物理学者

X.

データを
人情味あるものにする

データのヒーローと
敵に出会う

人間とは関係のないデータもありますが、ほとんどのデータは人間が関係しています。組織のデータのほとんどは、人間が生成しなければ存在しません。私たちは日常の中で商品を売買したり、リンクをクリックしたり、機器を装着したり、健康診断を受けたり、家を売ったりします。ほとんどすべてのグラフのデータの中に、人々の生活を垣間見ることができます。

あなたのデータの基となる人々の行動に共感をもって理解することは、彼らとより良いコミュニケーションをとるための指針となります。彼らをデータストーリーの登場人物と考えてみてください。彼らは、組織が目標を達成することを助ける存在にも、その反対にもなりえます。言い換えれば、彼らはデータのヒーローでもあり、敵でもあるのです。

ヒーロー 　　　　　　　　　　　　　　　　　敵

望ましい方向にデータを動かす
役割を果たします。

ストーリーテリングでは、ヒーローには通常、達成したい
目標や願望があります。その目標や願望を理解することで、
ヒーローがそれを達成するのを助けることができます。

顧客、ユーザー、従業員、パートナー、
寄付者、投票者、患者など。

目標達成の妨げになったり、ヒーローが
解決しなければならない問題を作り出します。

敵はヒーローを妨害したり、ヒーローが敵の達成を
阻止しなければならない競合するゴールをもっています。
彼らは目標達成を妨害します。

競合他社、メディア、活動家、投資家、
考え方など。

目標達成に貢献するヒーロー		目標達成を阻止する敵
ハイパフォーマンスな従業員	➤	非効率的なプロセスや官僚主義
非営利団体に寄付する寛大な寄付者	➤	税法の改正
新製品のアーリーアダプター（早期利用者）	➤	執念深いインフルエンサーやレポーター
割り当てられたノルマの達成	➤	巧妙な競争相手の出現
ウェブサイトのユーザー	➤	ユーザー体験の不具合

データで敵を知る

ヒーローがどんな葛藤を経験しているかを理解することで、敵を特定します。以下は、神話や物語、映画などで見られる典型的な対立の種類を挙げたもので、ヒーローを理解するのに役立ちます。

データに潜む5つの対立タイプ

対立タイプ	有名な映画	定義
ヒーロー 対 自分自身	『ロッキー』、『ショーシャンクの空に』	ヒーロー自身の欠点や疑問、偏見などと対立すること。
ヒーロー 対 人間	『バットマン』、『ダ・ヴィンチ・コード』	別の登場人物と対立すること。
ヒーロー 対 社会	『ハンガー・ゲーム』、『エリン・ブロコビッチ』	自分の価値観と相対する社会集団の信念や行動と対立すること。
ヒーロー 対 テクノロジー	『マトリックス』、『ウォール・ストリート』	マイナスの影響を与えるようなテクノロジーやシステムと対立すること。
ヒーロー 対 自然	『ジョーズ』、『ツイスター』	自然界に関する問題と対立すること。

敵

恐怖、モラル、欲、プライド、価値観、セルフイメージ、
考え方、偏見、自己管理など。

従業員、顧客、ユーザー、投資家、規制当局、権威者、
アナリスト、活動家、政治家、犯罪者など。

機関、競合他社、市場、チーム、株主、ニュース、伝統、
規制、文化的規範、経営など。

テクノロジー、システム、プロセス、コンピュータウ
イルスなど。

病気、自然災害、不潔な飲料水など。

あなたのデータのヒーローは、障害となる人、グループ、
考え方、システムなどと対立している可能性があります。
障害は、恐怖、官僚主義、テクノロジー、偏見、さらには
がん細胞など、さまざまな姿で現れます。

ですが、あなたのコミュニケーション方法によって、デー
タを望ましくない方向に誘導しようとする敵に打ち勝つ
ヒーローの力になることができるのです。

データの矛盾を
解消する

データは単なる数字ではありません。データの一つひとつが人々に洞察を与え、また人々が抱える葛藤を明らかにしてくれます。時には、敵が明らかでないこともあります。170 〜 171 ページの 5 タイプの対立を使って、データのヒーローに共感するための方法を見てみましょう。

右のグラフを見ると、機種変更が停滞していることがわかります。しかし、なぜでしょうか？ このグラフでは、顧客がヒーローであり、敵対する勢力が機種変更による企業の成長を妨げているようです。顧客と話せば、顧客がどのような対立に直面しているのかを知ることができます。彼らが直面している対立を彼らと話す際にあなた自身の手で対処して、彼らがそれを克服するように勇気づけましょう。右のシナリオでは、特定された対立タイプを元に、ヒーローから理解を得る方針を決めています。

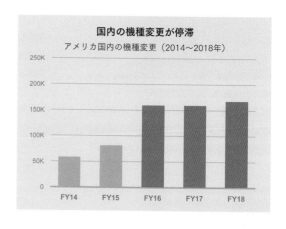

シナリオ A

顧客が機種変更しない

ヒーローはほとんどの場合顧客であり、このケースでは、顧客に機種をアップグレードしてもらうことが目標です。仮にこの顧客を Fran と呼びましょう。Fran が直面している問題の性質を理解するために敵を特定し、これらの障害を克服するために彼女を動かす方法を発見しましょう。

ヒーロー	敵	対立タイプ
携帯電話の機種変更を検討している Fran	彼女が契約しているキャリアに気に入る機種がない。	Fran 対 会社
	予約手続きが不便。	Fran 対 テクノロジー
	彼女は今が機種変更するべきタイミングなのか迷っている。	Fran 対 自分自身

携帯電話を機種変更すべきかどうか悩んでいる Fran。彼女は 3 つの対立に悩まされていて、それぞれに異なる解決方法が必要です。そのため、彼女を動かすには、複数のアプローチが必要です。

シナリオ B

売上が減少している

データの敵は多くの場合、企業の自社製品、サービス、またはプロセスなどにあります。それにもかかわらず私たちは誰でも、別組織と戦っているような気分になったことがあるはずです。このシナリオでは、売上が落ちているときに、よく起こっていることを紹介します。

ヒーロー	敵	対立タイプ
例年以上に頑張っている営業チーム	チームの努力を営業マネージャーが評価してくれない。	チーム 対 会社
	新しい料金プランのために、38％の注文がなくなった。	チーム 対 システム
	新任の営業リーダーは、パルス調査で低い評価を受けた。	チーム 対 人間

売上低迷の原因究明として一般的なのはマーケティング部門の活動を調査することです。しかし上記のケースでは、データの敵は販売部門の管理実態です。

対立を解決するには、ちょっとした調整で済む場合もあれば、会社全体での努力が必要な場合もあります。対立のタイプを明らかにすることで、ヒーローが立ち直るために組織が取り除くべき障害がはっきりと見えてきます。

登場人物と話す

データは過去に何が起こったかを教えてくれますが、その理由については、データの基となるヒーローやそれに対抗する敵に話を聞かないとわからないことが多いのです。

オンラインで購入する前にショッピングカートを放棄する（「カゴ落ち」と呼ばれています）顧客が増えているという事実があったとしたら、その理由は？ユーザーが解約しているその理由は？利益が減少しているその理由は？従業員の定着率が上がっているその理由は？　顧客が戻ってこないその理由は？

右のグラフを見ると、売上が下がっています。売上を下げている原因を理解しなければ、売上の改善にはつながりません。あなたはセールストークや価格に注目するかもしれませんが、問題が営業マネージャーにあるとしたらどうでしょう？　もしかしたら、彼は上司であるあなたのご機嫌取りには長けていても、チームの活力を奪っているのかもしれません。

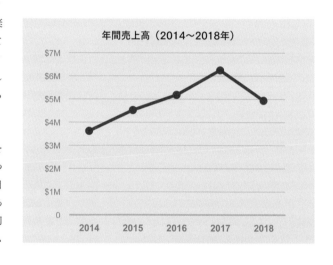

ヒーローを助けるためには、まず原因を探りましょう。電子掲示板を読んだり、アンケートを取ったり、コンサルタントを雇ったりして、何が彼らの障害になっているのかを知るのです。また、ユーザーや顧客からのコメントがあれば、それも活用しましょう。何百ものコメントを読んで、その人の立場になって考えてみるのです。そうすることで、悪評が広まる前に問題を克服できることがあります。**たった1つのコメントを読んだだけでも問題や機会の初期の兆候が見えるかもしれません。**

ヒーローを理解し、問題点を知るためには、何人かのヒーローと話をするのが一番です。古典的な双方向の会話ほど、彼らのニーズや要望、問題を鋭く捉えるのに役立つものはありません。データのヒーローを無作為に抽出し、彼らと会話をして、悩みや意見、意欲を注ぐ動機などを聞いてみましょう。彼らと話すことで、定量的なデータではわからない敵の姿が見えてきます。

相手の話を深く聞き、オープンクエスチョンをすることで、相手が話す内容を制限しないようにします。例えば、「価格が購入しない原因になっていませんか？」ではなく「購入を踏みとどまっている理由を聞かせてください」と聞いてみましょう。また、相手に質問をさせることで、会話を循環させましょう。

これはあなたが思いもしなかったような、相手の心の中を明らかにする強力な手段です。人間は、誰かが気にかけてくれていると感じるときに心を開くのです。

ヒーローと敵を深く理解することで、共感した上でアドバイスを伝えることができ、彼らにとってよりふさわしい提案をすることができるのです。

これらのデータを探るための強力な技法がある一方で、データが元は一人ひとりの願望、追求、問題を表しているという事実を見失いがちです。

データが示す人々のストーリーを理解することで、ヒーローを良い結末に導くための、あなただけのストーリーを作ることができるのです。

背景を共有して
データに意味をもたせる

抽象的なデータに意味をもたせることで、小さなストーリーが作り上げられ、人々の人生の一場面を垣間見ることができます。このようなストーリーやシーンは記憶に残ります（少なくとも良いものに関しては）。

1つのデータに意味をもたせることで、そのデータに命を吹き込み、読み手の記憶に残るものにすることができます。

データストーリーワークショップを開催し、その冒頭でファシリテーターが参加者の半数に、「自分にとって重要な統計値を教えてください」と言います。その答えは、「7」「22」「57」「92」「1959」などのようなものになります。一方で、残りの半数の参加者には統計値を1つ挙げて、なぜそれが自分にとって意味のあるものなのかを話してもらいます。すると、「3。私の家族の中で3人が同じ誕生日だからです」「48は私の1週間の平均労働時間です」「72000は私の借金の額です」「9は自分のことを魔法のプリンセスだと思ったときの年齢です」などのストーリーを引き出すことができます。

1日の終わりに、どの統計値を思い出すことができるかを参加者に聞いてみると、個人的な意味に関連するものはほとんどすべて記憶されています。それ以外のものは、ごく一部しか記憶されていませんでした。

背景が意味を生む

下のグラフは、実家暮らしの若い男性の数を示しています
が、若い男性の生活の状況によって、ネガティブにもポジ
ティブにも受け取れます。

このグラフが示す傾向は、若い男性が未熟であるとして、
否定的な目でメディアで取り上げられています。しかし、
アパートの家賃が大幅に高騰し、あなたの子どもの給料が
すべて家賃に充てられてしまうとしたらどうでしょう？

こうなると、一転して、親と同居することは節約につなが
り、また学生ローンに充てるお金を増やす最良の方法に見
えてきます。また、勤勉な起業家として、収入のすべてを
起業に注ぎ込みたいと考えている若者もいるでしょう。
ヒーローの人生の背景を理解することは、彼らがどのよう
な葛藤を抱えているかを知るために必要不可欠です。

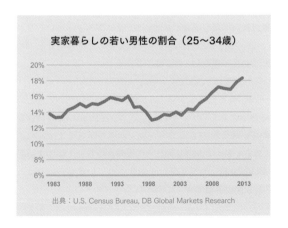

実家暮らしの若い男性の割合（25〜34歳）

20%
18%
16%
14%
12%
10%
8%
6%

1983　1988　1993　1998　2003　2008　2013

出典：U.S. Census Bureau, DB Global Markets Research

データで命を救う
ケーススタディ：Rosalind Picard 博士

Picard 博士は、スマートウォッチから収集されたデータによって誰かが発作を起こす可能性を予測することができるという内容の TEDx トークを行いました。このストーリーのヒーローが誰なのか知れば、あなたは驚くかもしれません。

Picard 博士は、MIT のメディアアーツ・サイエンスの教授であるとともに、MIT メディアラボ の Affective Computing 研究グループの創設者兼ディレクター、またスタートアップ企業である Affectiva および Empatica の共同創設者でもあります。

Picard 博士は、てんかん発作による副作用を事前に察知し、近くにいる大切な人に助けを求めることができる最先端のスマートウォッチの開発に貢献しました。

これから紹介する TEDxBeaconStreet 『An AI Smartwatch that Detects Seizures』は、彼女による講演で、TED.com に掲載されています。

「この子は Henry というかわいい男の子です。Henry が 3 歳のとき、お母さんは彼が熱性発作を起こしているのを見つけました。熱性発作とは、熱があるときに起こる発作のことですが、医者には『あまり心配しないでください。子どもの場合はたいてい治りますから』と言われていました。そして 4 歳のとき、意識を失って震える痙攣発作、つまり全般性強直間代性発作を起こしました。てんかんの診断書が郵送されている間に、ある朝、お母さんが Henry を起こすために彼の部屋に入ると、そこには冷たくなった彼の体が横たわっていました。

Henry の死因は、SUDEP（てんかんによる予期せぬ突然死）でした。SUDEP という言葉を聞いたことがある方はどれくらいいらっしゃるでしょうか。〈非常に少ない挙手数〉 非常に教養の高い聴衆の皆さんでも、数人の手しか見えませんね。SUDEP とは、健康状態にあるてんかん患者に起こる、変然かつ検死で原因を特定できない死のことです。**SUDEP は、7 〜 9 分に 1 回発生しています。これは、TED トーク 1 回につき平均 2 件の割合です。**

◉ 驚くべき大きさの表現

Picard 博士は、身近な時間（TED トークの長さ）との比較を用いて、死者数のスケールを理解してもらいました。

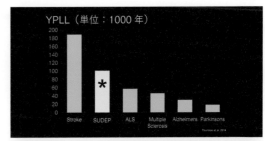

アメリカでは毎年、SUDEP が乳幼児突然死症候群（SIDS）を上回ります。**さて、乳幼児突然死症候群を聞いたことがある方はどれくらいいるでしょうか？　かなりの人が手を挙げていますね。**

⚫ 数量の比較

　彼女は SUDEP と SIDS の違いを知っている人がどれくらいいるか、聴衆に手を挙げさせて視覚的に示しました。

一体、何が起きているのでしょうか？　なぜ、SUDEP の方が圧倒的に多いのに、聞いたことがない人がこれほどに多いのでしょうか？　この状況を防ぐためにはどうすればよいのでしょうか？

SUDEP という言葉を聞いたことがない人がほとんどだと思いますが、実は SUDEP は、すべての神経疾患の中で、損失生存可能年数（疾病により失う命の年数、YPLL）の原因の第 2 位となっています。

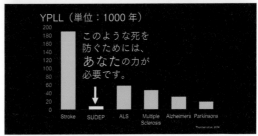

縦軸は、死亡者数×残りの寿命ですから、この棒が長いほど影響が大きいです。

しかし、SUDEP は、他の病気とは異なり、ここにいる皆さんの手によって、その数を減らすことができるのです。

⚫ ヒーローに出会う

　大半の人が、ストーリーのヒーローは、病気と闘う Henry だと思ったことでしょう。彼を勇ましく感じたことと思います。しかし、Picard 博士は聴衆を彼女のストーリーのヒーローにしているのです。なぜなら、聴衆こそが未来の死を食い止めることができるからです。

◉ このリストバンドには、自
作の皮膚電流センサーが内
蔵されています。

▲ **データを使ったストーリーテリング**
Picard 博士が語る、データの敵のストーリー。

ある日、12 月の学期末に一人の学部生が私の部屋を訪ねてきて、『Picard 教授、リストバンドセンサーを 1 つお借りできますか？　私の弟は自閉症で、話すことができません。何が彼のストレスになっているのかを知りたいのです』と言いました。

私は『もちろん。1 つと言わず 2 つ持って行くといいわ』と答えました。なぜなら、当時はそれらは非常に壊れやすかったからです。

その後、私は MIT に戻ってノートパソコンでデータを見ていました。すると次の日、私はこう思いました。『あら、おかしいわ。どうやら片方のセンサーが壊れるのを待たず、両手首にセンサーをつけているみたいね。オーケー、いいわ。それなら私の指示には従わなくてもいいわ』。あとから思えば、あのとき私の指示に従っていなくて本当によかったですね。

さらに数日が経過すると、片方の手首の信号は横ばいでしたが、もう片方は見たこともないような大きな信号を示していました。私は『どうなっているの？　MIT でありとあらゆる方法で人々にストレスを与えてきたけど、こんなに大きなピークは見たことがないわ』と思いました。しかも、信号は片側のセンサーにだけ表れたのです。体の片側にだけストレスがかかって、もう片方にはかからないなんて。そこで私は、どちらかのセンサーが壊れているのではないかと考えました。そしてこの機器の欠陥を直すためにいろいろと試行錯誤したのですが、結局再現できませんでした。

そこで、私は昔ながらのデバッグ方法に頼ることにしました。休暇中に家にいた例の生徒に電話をかけてみました。『こんにちは、弟さんは元気？　クリスマスはどう？　ところで、弟さんに何が起こったのか、心当たりはある？』

🔺 データを人情味あるものにする
　　数字を上げたり下げたりする登場人物にインタビューする。

そして私は彼に特定の日時を伝え、そのときのデータを送りました。すると彼は、『わからない、日記を調べてみる』と言いました。日記？　MIT の学生がアナログな日記を書いているの？　と思いながら待っていると、彼は正確な日時を手に戻ってきてこう言いました。

『このとき、弟は大発作を起こす直前だったんですよ』。

当時、私はてんかんについて何も知らなかったので、いろいろと調べてみました。他の学生の父親の Joe Madsen 博士がボストン小児病院の神経外科部長であることを知り、勇気を出して Madsen 博士に電話しました。

『こんにちは、Madsen 博士。患者が発作の約 20 分前に交感神経系の大きなサージ（これが皮膚電流に作用するのです）を起こす可能性はありますか？』

すると彼はこう言うのです。『多分ありませんね。ただ興味深いことに、発作の 20 分前に片方の腕の毛が逆立つ人がいたんですよ』。

私は思わず『片腕だけ？』と耳を疑いました。私は最初、あまりにも馬鹿げていると思ったので、彼にそれを伝えたくなかったのです。

私は彼にデータを見せました。その後、私たちはさらに多くのデバイスを作り、安全性の認可を受けました。そして 90 組の家族に研究に参加してもらい、その子どもたちを 24 時間 365 日モニタリングしました。

そして、このときに私たちは SUDEP について、いくつかのことを学びました。そのうちの 1 つは、SUDEP は、発作中に起こるわけでもなく、また往々にして発作の直後に起こるわけでもないということです。ただじっと静かにしているだけのときに、呼吸が止まる段階に入ることがあり、呼吸が止まると、その後、心停止することがあります。

さて、次のスライドは、私の皮膚電流センサーを改善させた事例です。**ある朝のことです。**メールをチェックしていると、あるお母さんからのメールが届いていました。彼女がシャワーを浴びていると、シャワー脇のカウンターに置いていた携帯電話に、娘さんが助けを必要としている可能性がある旨の通知が届いていました。シャワーを中断して娘の部屋に駆けつけると、娘さんはベッドにうつ伏せの状態でまっ青になり、息をしていなかったそうです。お母さんが娘を仰向けにして刺激を与えると、ゆっくりと呼吸をし、肌がピンク色に戻って元気になりました。

⊛ データを使ったストーリーテリング
　　データがどのようにして個人の結果を変えたのかを語る。

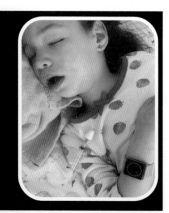

今朝、異変を知らせる通知を受信し、彼女の部屋に駆けつけたところ、**うつ伏せの状態で痙攣し、息をしていませんでした。**

彼女の**体勢を変えた**ところ、肌はピンク色に戻り、今は元気に眠っています。

私はこのメールを読みながら、血の気が引くのを感じました。私はメールの返信に『なんてことでしょう。これは完璧ではないんです。Bluetooth が壊れるかもしれないし、バッテリーが切れるかもしれません。これらすべてがうまくいかないかもしれないの。どうかこれに頼らないで』と書きました。

するとお母さんは『大丈夫です。どんなテクノロジーも完璧ではないことはわかっています。常に子どもたちについていられる人はいません。でも、このデバイスと AI のおかげで、娘の命を救うことができたのです』と言ってくれたのです。

なぜ私たちは苦労をして AI を作るのか。その理由の一つには、命をつなぎ止めた少女 Natasha の存在があります。彼女の家族は、私に彼女の話を伝えてほしいと言ってくれました。

もう一つの理由は、彼女の家族と、これまで人に打ち明けづらかった症状がある人々をサポートしたいと願う素晴らしい人たちの存在です。そして最後の理由は、ここにいる皆さんの存在です。私たちには、AI の未来を創造するチャンスがあります。私たちは本当に変えることができるのです。なぜなら AI を作っているのは私たちだからです。

さあ、みんなの生活を豊かにする AI を一緒に作りましょう」。

ヒーローに出会う
データが Natasha の母親に刺激が必要だと警告した結果、彼女は息を吹き返しました。Picard 博士は、あなたにも命を救うことができることを知ってほしいと願っています。SUDEP は敵であり、あなたはヒーローになれるのです。

"個人を向上させることなくして、
　より良い世界を築くことは望めない。
　そのためには、私たち一人ひとりが
　自分自身の向上のために
　努力しなければならず、
　同時に全人類に対する普遍的な責任を
　共有しなければならないのだ。
　私たちの特別な義務とは、
　私たちが最も役に立つことができると
　思う人たちを助けることである"

MARIE CURIE
物理学者・化学者・ノーベル賞受賞者

XI.

データを使った
ストーリーテリング

時間軸を利用して
データを表現する

相手が何をしなければならないかがわかったら、あなたは彼らに「できる」と信じさせ、行動に移させることを求められるかもしれません。

ほとんどの提案には、それを実行するまとまった人数が必要です。それが部署内の同僚であれ、経営層であれ、あるいはより広い範囲の人々であれ変わりません。部署、顧客、株主、あるいは会社全体を動かす必要がある場合は、正式なプレゼンテーションを求められることが多いでしょう。

あなたがステージに立つ機会があれば、あなたは映画のようなデザインとストーリーテリングのテクニックを使って、プレゼンテーションをダイナミックに演出し、ドラマチックに洞察を伝えることができます。サスペンスを生み出し、ミステリアスな要素を含んだ魅力的なストーリーを語ることで、あなたのデータストーリーを生き生きとしたものにしましょう。調査結果の重要な部分を戦略的に隠しておくことで、大々的に発表するとき聴衆に刺激的な驚きを与えることができます。

例えば、あなたは部下が一生懸命働いた結果を発表しようとしているとします。グラフの棒グラフを1本ずつ見せていくことで、サスペンスを演出することができます。部下が最終的な結果を知らされていない場合は、どれだけ面倒なことをしてきたか、どれだけ苦労したかを説明することで、最後に良い結果が示されたとき、部下に喜びを与えることができます。

ヒッチコックが語る、サプライズとサスペンスの違い

"「サスペンス」と「サプライズ」には明確な違いがありますが、多くの映画はこの2つを混同しています。どういうことか説明しましょう。

私たちは今、とても無邪気におしゃべりをしています。このテーブルの下に爆弾があったとする。しばらく静寂が続いたあと、突然「ドカン！」と爆発。それを見た観客は驚きます（サプライズ）が、直前まで見ていたのは、何の変哲もない光景です。

さて、サスペンスではどうなるでしょうか。爆弾はテーブルの下にあり、あらかじめ観客はそのことを知っています。おそらくアナーキストが爆弾を設置するのを見たからです。さらに人々はそれが1時に爆発することを知っていて、部屋に飾られた時計から、1時まであと15分に迫っていることに気づきます。このような状況では、観客はこのシーンに参加しているも同然のため、同じく他愛のない会話が魅力的になるのです。

観客は、スクリーン上の登場人物にこう警告したくてたまらなくなります。「そんなつまらないことを話している場合じゃない。あなたの下には爆弾があって、今にも爆発しそうだぞ！」

1つ目のケースでは、爆発の瞬間に15秒間のサプライズを与えました。2つ目のケースでは、15分間のサスペンスを提供しました。結論としては、どんなときでもできるだけ観客には状況を知らせるべきだということです。サプライズがひねって用いられている場合、つまり思いがけない結末が話のクライマックスになっている場合を除けば"

—Alfred Hitchcock

隠れたデータを明らかにする
サプライズとは、予想外のことが突然起こったときに感じる感覚のことです。

- データに文脈を加える
- データの一部に注目する、または俯瞰して見る

データでストーリーを伝える
サスペンスとは、ストーリーの結末がはっきりしない中で高まる期待感のことです。

- 不幸な結末を迎えるデータ
- 幸運な結末を迎えるデータ

隠されたデータを明らかにする

皆さんは、ストーリーの中で登場人物が予想外の出来事に遭遇したとき、その人物に共感して畏敬の念を抱いたり、恐怖に慄いたりして、身体が反応したことがあるのではないでしょうか。時間をかけて明らかになったデータは、聴衆にも同じような反応をもたらします。

ネガティブなサプライズは息をのむような衝撃を、ポジティブなサプライズは畏敬の念を抱かせたり、拍手を起こします。

聴衆を驚かせる 2 つの方法

- **データに文脈を加える**：データの意味を大きく変える追加情報を報告する。
- **データの一部に注目する、または俯瞰して見る**：予想外の結果を示すチャートや軸に隠された特徴を明かす。

うれしいサプライズであれば聴衆は喜びますし、ネガティブなサプライズであれば人々は怒るかもしれません。これは悪いことのように聞こえるかもしれませんが、人々を行動に移すためには、怒りは非常に強力な力になります。特に、人々が「自分には変化を起こす力がある」と確信しているときには、怒りは非常に大きな力となります。

データに文脈を加える

下のグラフを見た聴衆は、人工知能（AI）のスキルを必要とする仕事の数が、アメリカで急速に増加していると結論づけました[26]。

下のグラフは、他の国のデータの文脈を加えたものです。最初のグラフのあとに提示されると、アメリカの成長は比較的緩やかなことがわかります。

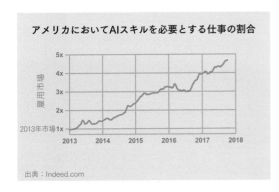

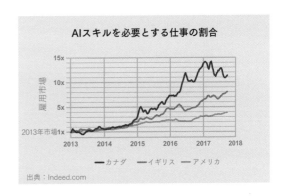

新しいデータに対応するために、y軸のスケールを3倍近く調整する必要があった。

データの一部に注目する、または俯瞰して見る

右に2枚のスライドがあります。下のスライドは、y軸の
一部しか表示されていません。最初に下のスライドを表示
します。そして、パワーポイントのプッシュトランジショ
ン機能を使って、青い棒がどんどん伸びていくように見せ
ます。下の①の台本を読み始め、時間の経過とともにグラ
フが浮かび上がってくるのを見ながら、反時計回りに台本
②、台本③と読み続けます。

① **赤色のバーだけが映し出される**

「アメリカの債務問題は、無駄な支出が原因だと思われ
ています。しかし、それは正しくありません。実際に
は過去30年間で、家庭の支出は大幅に削減されてい
るのです。インフレ調整後の平均的な家庭では、一世
代前に比べて、外食を含む食費、衣服、家具、家電製
品への支出が減っています。このことは、数字がはっ
きり示しています。昨今のデータでは、アメリカのほ
とんどの家庭が5セント（ごく僅かなお金）に気を配
っていることを示しています…」

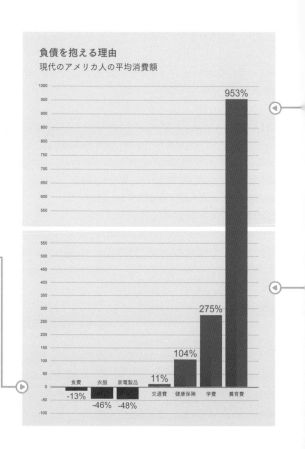

アドバイス▶アニメーションスライドは
duarte.com/datastory をご覧ください。

③ **スライドの高さを超える軸が出てくると、スライド
が広がるように見える**

「なんと。これはすごいですね。〈聴衆のため息〉 アメ
リカの家庭が貯蓄を使い果たし、借金をしているのは
当然と言えるのでしょう」

② **クリックすると同時に青い棒グラフが表示される**

「しかしその一方で、大きな支出に手を焼いています。
この莫大な固定費は本当に驚異的ですね。現代の家庭
では、住宅ローンに57％、健康保険に104％もの費用
がかかっています（すべてインフレ調整後の事象です）。
大学の学費はそれが州立大学（state school）であった
としても高騰しています。現代の子供には、1970年代
の約3倍の学費がかかるのです。〈養育費のバーが伸び
始める〉 小さな子どもをもつ親が長時間労働に従事す
るようになったことで、養育費は家庭を脅かすほどに
なっています。実際、どうなるか見てみましょう」

隠されたデータを明らかにする
ケーススタディ：Al Gore

データだらけのスライドショーを題材にした映画が、アカデミー賞を受賞するなんて誰が予想したでしょうか。ドキュメンタリー映画『不都合な真実』の中で、プロデューサーは前例のない斬新な方法でデータを公開しました。Al Gore 元アメリカ合衆国副大統領は、南カリフォルニアの小さなスタジオでプレゼンテーションを行ったのです。プロデューサーはこの映画のために、幅27メートルの特注のデジタルスクリーンを用意し[27]、Gore は驚くべき事実を明らかにして聴衆を驚かせました。

メインスクリーンは非常に大きく、Gore は油圧式リフトに乗って今後予測される大気中の二酸化炭素濃度の上昇を表す赤い線を指さす必要がありました。線がどんどん上昇すると、黄色い点が表示され、聴衆は上昇の終わりが近づいていることを知ることができました。実際のところ、スクリーンの高さはそこまででした。しかし、幅27メートルのスクリーンの上に、制作陣が用意した、聴衆の知らない秘密のスクリーンが用意されていたのです。Gore がリフトに乗って昇り続けると、聴衆は息をのみました。なんと、追加のスクリーンが現れ、二酸化炭素の排出量を示す赤い線が2056年まで伸びたのです。

私たちはこれを S.T.A.R.（Something They'll Always Remember）モーメント（聴衆の記憶に残る瞬間）と呼んでいます。S.T.A.R. モーメントは、過度に演出された低俗なものであってはならず、さもなければ安っぽいサマーキャンプの寸劇のような印象になりかねません。S.T.A.R. モーメントは、プレゼンテーションの全体的なトーンと一致していなければなりません。驚くべきデータの重要性に注目を集めるには、芝居が邪魔にならないようにしなければならないのです。

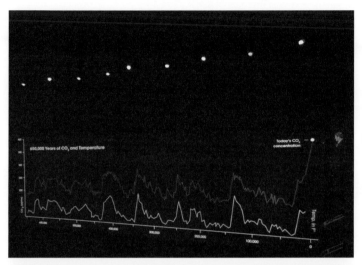

◀ Gore は、油圧式リフトを使って、数
値がどれだけ上昇したかを視覚的に
示しました。

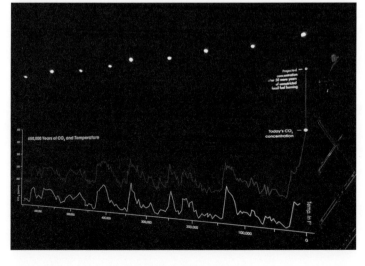

◀ Gore がさらに大きい数値に届こうと
してリフトで昇り続けると、聴衆は
息をのみました。

感情曲線でストーリーを語る
ケーススタディ：Kurt Vonnegut

Kurt Vonnegut は、『スローターハウス5』（1969年）で知られるアメリカの小説家です。この講演録では、なぜコンピュータは簡単なストーリーの構造すら処理できなかったのか、という問いを投げかけています。右のグラフは彼が講義中に黒板に描いたものです。

「シンプルなストーリーの構造なら、コンピュータで美しい形として表現することができます。

これは G-I 軸、つまり幸運（good fortune）と不幸（ill fortune）の軸です。下には病気と貧困、上には富と健康が割り当てられています。ここが中心点ですね。
そしてこれは B-E 軸です。B は始まり（beginning）を意味し、E は電気（electronic）を意味します（本当は ending の意味）。冗談です（笑）。さて、これは相対性理論の演習です。重要なのは曲線の形であって、その起源ではありません。

さて、私たちは平均より少し上のこの話を『マン・イン・ホール型』と呼んでいますが、別に男性に限った話である必要はありませんし、誰かが穴に入る必要もありません。でも、覚えておくにはいい方法だと思います。誰かがトラブルに巻き込まれて、そこから抜け出す。人々はそんな話が大好きで、決して飽きることはありません。

マン・イン・ホール型

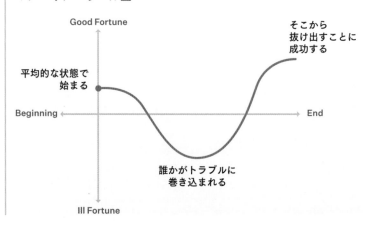

他のストーリーの構造として『ボーイ・ミーツ・ガール型』が挙げられます。ごく平凡な主人公が、ごく普通の日に何か素晴らしいものに出会い、それに夢中になります。そして途中でああ、なんということだ！　とそれを失いかけ、最後には取り戻す、そんな人たちの話です。

ボーイ・ミーツ・ガール型

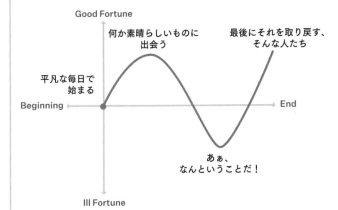

コンピュータはチェスをすることができるまでになったのに、なぜこれから描く非常に複雑な曲線を処理することができないのか、私にはわかりません。そして偶然にも、これは西洋文明の中で最も人気のあるストーリーの構造なのです。語られるたび、誰かが 100 万ドルを稼いでいます。

人々は平凡以下の日々や人々の話は好まないと言いましたが、今回はずっと下の方から始めようと思います。誰がそんなに不幸なのでしょう？　小さな女の子です。何があったのでしょうか？　母親が亡くなり、父親が再婚したのは気性が荒く醜い女で、二人の性格の悪い娘がいました。ある夜、宮殿でパーティーが開かれましたが、彼女は行かせてもらえず、その準備を手伝わされます。さて、彼女はさらに不幸になったでしょうか？　いいえ、彼女は意思の固い女性であり、母親を失ったことが最もショックの大きい出来事でした。彼女の運命はこれ以上下がりません。

シンデレラ型

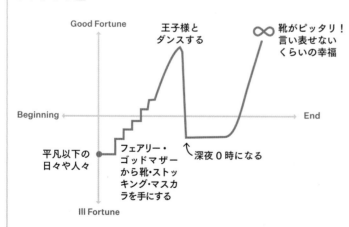

Vonnegut は、自伝『Palm Sunday（パーム・サンデー）』の中で、シンデレラのストーリーの曲線と聖書の曲線との間に類似性を見出しました。

"シンデレラの真夜中に鳴り響く鐘は旧約聖書独自の創造神話ととても似ていました。さらに最後に幸福の境地に到達する様は、キリスト教で表現されている最後の審判と同じでした。2 つの話は同じ曲線を描いていたのです。"

この型は西洋のストーリーテリングの中で最も有名なもので、Joseph Campbell の提唱する「ヒーローズ・ジャーニー」に最も近いものです。

さて、フェアリー・ゴッドマザーがやってきて、彼女に靴を与え、ストッキングを与え、マスカラを与え、移動手段を与えました。彼女はパーティーに行き、王子様と踊り、素晴らしい時間を過ごします。

ゴーンゴーンゴーン…さて、振り子時計が 0 時を打つのに、大体 20 〜 30 秒くらいかかるので、私が書いた線に若干の傾きがあります。彼女は物語の始まりと同じくらい不幸になってしまうのでしょうか？　もちろん、そうはなりません。彼女はそのダンスを一生忘れないでしょう。そして、王子様が来て、靴がピッタリはまって、予想以上の幸せを手に入れるまで、このくらいのレベルでうんざりし続けるのです[28]」

Vonnegut のシンデレラ型は、Joseph Campbell の「ヒーローズ・ジャーニー」の構造に非常に近いものです。Campbell の研究では、東洋文化および西洋文化の宗教や民話における神話的な部分に共通の構造を発見しました。より困難を極める状況の中でヒーローがより努力すると、より大きな勝利を手にすることができる、といったものです。このような形式でストーリーが語られると、独自の文化的価値観を刺激します。また、西洋ではハッピーエンドのストーリーが好まれます。大ヒット映画の多くはヒーローがどうやって困難から救われるのか、という点でこの形式に合致しています。

データで確認する
ストーリーの感情曲線

コンピュータにストーリーの型を処理させたいという Vonnegut の願いは、2016 年に実現しました。バーモント大学のコンピュテーショナル・ストーリー・ラボのデータサイエンティストのチームが、見事な研究プロジェクトを発表したのです。 彼らは、グーテンベルク・プロジェクトで電子化された 1,327 の小説をコンピュータに分析させたのです[29]。

研究者たちは、ストーリーの感情曲線を発見するために、文章中のポジティブな感情とネガティブな感情の上昇と下降を追跡するセンチメント分析を行いました。そして、ストーリーを、幸運か不幸かで終わる明確な感情曲線に分類しました。

分析の結果、201 ～ 202 ページに示す 6 つの主要な感情曲線が生まれました。最初の 3 つ（右のグラフ）は幸運で終わる型、残りの 3 つは不幸で終わる型です。

このチームは、Vonnegut がまとめた軸にストーリーがどれほど合致しているか、初めて実証して明らかにしました。

もし次の 2 ページのグラフが業績を表すものであれば、あなたはそれであるとわかるはずです。なぜなら、多くの組織は時間の経過とともに不幸と幸運を経験するからです。曲線の下の棒グラフは、6 つのストーリー曲線と同じパターンを示します。

幸運な終わり方をするグラフの場合は、棒（または折れ線）を 1 本ずつ公開していくことができます。統計データを 1 つずつ公開すると、最後のデータが明らかになるまで聴衆は結論が読めません。こうすることで、最終的に良い結果になるとはっきりわかるまで聴衆にサスペンスを演出できるのです。

幸運な結末のデータ

無一文から大金持ち型

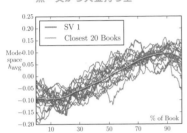

安定した上昇

『Alice's Adventures Underground（地下の国のアリス）』、『Dream』、そして『The Ballad of Reading Gaol（レディング牢獄の唄）』

マン・イン・ホール型

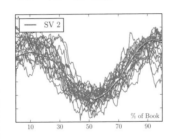

下降して上昇

『The Magic of Oz（オズの魔法使い）』、『Teddy Bears』、『The Autobiography of St. Ignatius（ある巡礼者の物語）』、そして『Typhoon』

シンデレラ型

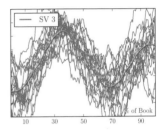

上昇して下降し、最後に上昇

『Cinderella（シンデレラ）』、『A Christmas Carol（クリスマスキャロル）』、『Sophist』、そして『The Consolation of Philosophy（哲学の慰め）』[30]

上の３つのグラフは幸運な結末を迎えます。これらのグラフを少しずつ提示することで、不幸が迫ってくるというサスペンスを演出し、最終的に問題が無事に解決したときには聴衆に高揚感を与えることができます。

不幸な結末のデータ

悲劇型

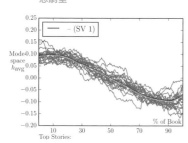

安定した下降

『Romeo and Juliet（ロミオとジュリエット）』、『The House of the Vampire』、『Savrola（サヴロラ）』、そして『The Dance』

イカロス型

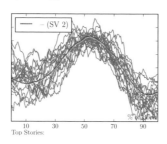

上昇して下降

『Icarus（イカロス）』、『Stories from Hans Christian Andersen（アンデルセン童話）』、『The Rome Express（ローマ急行殺人事件）』、そして『The Yoga Sutras of Patanjali（パタンジャリのヨーガ・スートラ）』

オイディプス型

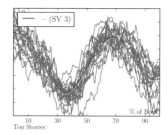

下降して上昇し、最後に下降

『Oedipus Rex（アポロンの地獄）』、『On the Nature of Things（事物の本性について）』、『The Wonder Book of Bible Stories』、そして『A Hero of Our Time（現代の英雄）』

上の３つのグラフは不幸な結末を迎えます。時には不幸が重なり、悲劇で終わることもあります。またあるときは、あなたのデータストーリーの結末を変えるために、聴衆が自身の行動を変える時間が残されている場合があります。

もし、あなたの組織が幸運から不幸へ変化した経験があるなら、左のグラフの形には見覚えがあるかもしれません。

古典文学では、不幸な結末を迎えるストーリーには、高い地位や将来性のある人物が登場しますが、その人物には欠点があります。そして、その人物の性格が試されるような機会が訪れたとき、その欠点に負け、比喩として、あるいは文字通り死んでしまいます。シーザーの欠点は野心であり、ロミオの欠点は衝動性であり、イカロスとオイディプスの欠点はプライドです。

不幸な結末のデータを提示するときは、その原因を特定できている必要があります。プロジェクトの進め方に問題があったのかもしれませんが、たいていの場合、戦略やマネジメントに問題があることが多いです。原因を知り、自覚して、直接的に強調して伝えましょう。

不幸な結末

経済的、人的に努力したとしても、データの結果を覆すことができない場合は、聴衆がその最終的な結果に対応できるようにすべてを明らかにしましょう。不幸な結末を迎えると、聴衆は闘争心を失った人に同情したり、恐怖を感じたりします。負けた人の失敗から学ぶことで、カタルシスを得ることができます。

逆転の発想

もし、現在のデータが不幸な結果を表していても、聴衆が結果を変えることができる時間があるとしたらどうでしょう？　自分が逆境を乗り越えるためのヒーローの役割であることを理解してもらい、逆境が乗り越えることができるものと感じてもらえるように鼓舞しましょう。

◉現在の業績が『イカロス』の「上昇して下降」のパターンに当てはまったとしても、まだ結果を変える時間はあります。

伝え方次第で、障害や敵を乗り越えられるように見せることができるのです。

アドバイス ▶ duarte.com/datastory に、Vonnegut の講演のほか、6 つの基本的な型の研究、ヘドノメーター（幸福測定器）、ストーリーデータのインタラクティブな視覚化ツールへのリンクが掲載されています。

不幸をシンデレラ曲線へ変える
ケーススタディ：社内全体会議

右のスライドは、ある中堅企業の社長が社内
の全体会議で提示したものです。

彼女は、従業員が過去数年間に経験した困難を語り、最後
に彼らが達成した英雄的な改善を明らかにしました。

① 社長は、新しい会社の基幹システム（MIS システム）
を導入した数年間がいかに大変だったかを説明しまし
た。その時期、彼女は収益が横ばいであることを承認
していました。なぜなら、成長を求めながら同時に改
革を推進しては、社員が力尽きてしまうからです。

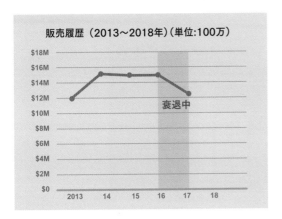

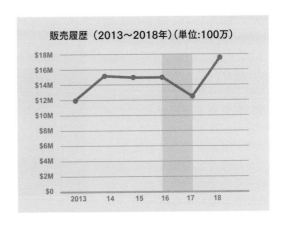

② 2016年、会社は彼女が「衰退中」と呼ぶ状態に陥りました。会社の基幹システムが入れ替わったことで、神経がすり減り、データの整合性に異変が生じたのです。会社は社内のシステム障害により崩壊し、生産性が低下しました。

③ 2017年の初め、チームはコア・バリュー（企業の価値指針）を再確認し、悪循環から抜け出すための明確な利益目標を立てました。そして、社長が輝かしい成果が示された大々的な発表を行ったとき、従業員たちは歓喜に沸いたのです。

チャリティ：データを使った水のストーリーテリング
ケーススタディ：Scott Harrison

Scott Harrison は、非営利団体のCEOとして羨ましがられるほどの運営モデルをもっています。彼は、個人や団体で構成される紹介制のグループを作り、運営費と諸経費はグループ自らが賄うようにしました。こうすることで、寄付金すべてを清潔な水を供給するための井戸の建設費用に充てられるよう保証しました。

毎年、彼は「The Well」のメンバーがその年の成果を知るための年次総会を開催しています。2018年のスピーチでは、見事なデータが参加者の連帯感を作り出しました。

「何人かの方々は初期から私たちの軌跡を見守ってくださっていると思います。

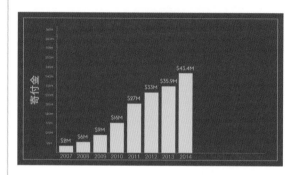

私たちは毎年成長してきました。不況の中でも、他のチャリティ団体が衰退しているときでも成長してきました。8年間連続の成長です。これはまさに、私たち自身が成長したからに他なりません。そして2015年、私たちは「衰退」のようなものを経験しました。

それはとてもひどいものでした。私にとってひどい実存的危機の始まりでした。私にとって…そしてチームにとってもです。

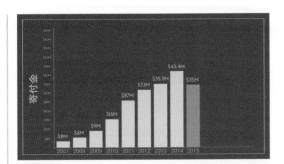

この金額は、私たち自身のお金ではありません。これで車や家を買うわけではないのです。人々が清潔な水を手に入れるためのものなのです。8年目には100万人に清潔な水を提供していたのに、翌年にはたった82万人になってしまったのです。

⚫ キャラクターに人情味を感じられるようにする

　　Harrison は、一貫して金額を清潔な水を手に入れた人数に変えて、聴衆に寄付の理由を思い出させました。

何が起こったのでしょう？　私たちは2件の莫大な寄付をいただいたのですが、景気の影響で、2度目はなかったのです。

私たちはこの問題を解決する必要があると考えました。そこで私たちは、Netflix や DropBox、Spotify のビジネスの成長モデルに似たサブスクリプションサービス「The Spring」を考え出しました。

月に30ドルあれば、1人の人に清潔な水を提供することができます。そこで私たちは、毎月清潔な水を提供するための寄付を人々に呼びかけ、寄付金の100％が清潔な水を必要としている人々に直接届くことを強く約束しました。

私たちは、この活動が世界中で急速に広まったことに驚きました。20分の動画を作ったおかげですね。動画の配信を2015年末に始め、幸いなことに2016年にはわずかに成長しました。

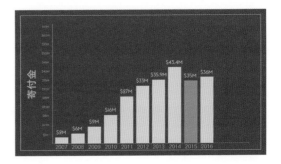

さらに、2017年には40%の成長を遂げ、寄付金は初めて
5,000万ドルを達成しました。これは成長しているサブス
クリプション・プログラムのメリットを実証するものです。

〈拍手〉

そして昨年は120万人に清潔な水を届けることができま
した。

データを使ったストーリーテリング（シンデレラ型）
Harrison は、時間をかけてグラフとストーリーを徐々に
明らかにしていきました。Vonnegut のシンデレラ型の感
情的なアークと同様に、聴衆は不幸な運命が好転するか
どうかわからなかったのです。これは、西洋で最もポピ
ュラーなストーリー構造です。

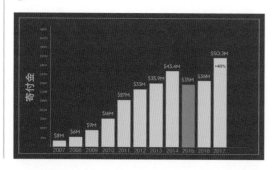

また、ローレンが先に発表した数値はすでに古く、1カ月
前のものです。

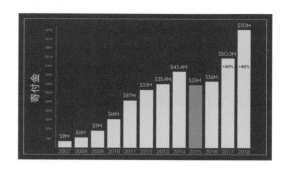

今年、私たちは7,000万ドルの寄付金を目指しています。

〈騒然とする会場〉

予想外の展開に驚く
意図的かどうかは別として、聴衆はプレゼンテーション
の最初に低い数値を見せられ、次に予想よりもはるかに
高い数値を見せつけられたのです。結果、聴衆は驚きに
息をのんで、拍手喝采しました。

この成長を少し整理してみましょう。これは私たちと同じ
業態の間では見たことがないものです。実際に私たちが耳
にするのは『フラット・イズ・ザ・ニューアップ（現状維
持は成長に等しい）』というものです。

全世界の寄付金額は 6% の純減でしたが、私たちは 40%
の成長を遂げました。私たちはこの 12 年間でやり遂げた
ことにとても満足していますし、サブスクリプションもう
まくいっています」

🔺 データに文脈をつける

他の非営利団体の成果に関する文脈が明らかになると、
聴衆はこれがさらに大きな勝利であることを再認識します。

その後、Harrison は聴衆とデータを結びつけるために、別の方法を採用しました。

150万人
1日あたり4000人増

2025年までに
<u>さらに</u>2500万人の人々に届けるには
何が必要でしょうか？

「これは私が気に入っている数字で、私たちが毎日清潔な水を提供できている人の数です。この数字が毎年増えていくのを見るのは楽しいものです。

考えてみてください。今日、新たに4000人の人々が初めて清潔な水を手に入れたのです。先日、全席完売したDepech Mode のコンサートのためにマディソン・スクエア・ガーデンに行ったときのことです。アリーナにどれくらいの人が収容できるのかネットで調べてみました。私は振り返って妻に、『4日ごとに新たにこれだけの人に水を提供できているんだ！』と言いました。

▲ 驚くべき大きさの表現
毎日清潔な水を受け取っている人々の数を聴衆に理解してもらうために、Harrison は聴衆を身近なものとつなげました。マディソン・スクエア・ガーデンでは、コンサートに2万人近くの人を収容できます。

これが私たちの KPI です。より多くの人々に清潔な水を届けるため、この数字をより速く、より大きくしたいのです。

私たちは問い続けます。もっと野心的に、もっと速く成長するためには何が必要なのか？　そして2025年までにさらに2500万人の人々を支援するには、何が必要なのか？　と。

これは本当にたくさんの人です。オラクル・アリーナで例えると、1,000 個分ですから。サンフランシスコに住んでいる人の 28 倍、ニューヨークの人口の 3 倍にもなります。だからこそ、さらに大きなインパクトがある気がするのです。そして繰り返しになりますが、大切なのは、これらの個人の生活なのです。

◉ 驚くべき大きさの表現

　Harrison は、清潔な水を受け取れる人々の数を劇的に増やすという大きなビジョンをもっています。彼は今回も、人であふれ返る身近な空間を使って、どれだけの人が清潔な水を手に入れることができるかを伝えています。

私たちが提供しているサービスは、常に個人に焦点を当てています。この女性、Aberhat のような人をです。

彼女は 47 歳で 4 人の子供の母親であり、妻でもあります。私たちが見たこともないようなおぞましい水を飲むために、毎日 4 〜 6 時間も歩いているのです。それ以外に選択肢はありません。これが彼女の生まれた環境なのです。私たちなら、彼女を助ける方法を知っていますよね」

◉ キャラクターに人情味を感じられるようにする

　清潔な水によって人生が変わる女性、Aberhat の写真が映し出されます。Harrison は、次の年次総会で、「The Well」のメンバーが、彼女の人生がどのように変わったかについて、詳しいプレゼンテーションを見られるだろうと説明しました。

"毎日が驚きの連続なのだ。
しかし、それを予期していなければ、
それを見たり、聞いたり、
感じたりすることはできない。
日々の驚きを恐れずに受け止めよう。
それが悲しみであろうと喜びであろうと
私たちの心の中に
新しい場所を用意してくれるだろう。
それは
新しい友人を歓迎する場所であり、
私たちの共通の人間性をさらに
祝福することだろう"

HENRI NOUWEN
司祭・作家・教授

ほとんどの物は、数えたり測ったりすることができます。宝探しをするように データを探してみると、絶好の機会や人生のさまざまな問題を解決するための対処法を発見することができ、とてもワクワクします。しかしデータが私たちの生活を変える、その形成段階に私たちは立っていて、そして完成にはコミュニケーターの助けが必要です。**データをストーリーに変換する、これはすべてのリーダーの役目になるでしょう。**

何が起こったかはデータで、それが何を意味するかはストーリーで知ることができます。ストーリーは、データをフレーム化することで意思決定を迅速にし、人の心と思考を変えて行動を喚起することができます。**言葉には力があるのです。それを上手に使いこなすには、練習が必要です。**

皆さんがキャリアを積んでいく中で、**データを分析する力、それを伝える技術が身につくことを願っています。**

付録

ストーリーを
前に進める

ストーリーテリングの中で、最も一般的に用いる接続詞はしかし（but）、そして（and）、だから（so）です。以下の図は、74 ページに記載のデータストーリーにおける三幕構成において、どのような接続詞を用いるかを表したものです。

1 第 1 幕
データ分析の結果、問題または機会が存在することがわかった

問題と機会の対比		問題や機会に基づいて	
一方で	対照的に	同じように	〜のほかに
代わりに	たとえ〜であっても	加えて	また
逆に	例えば	結局	もう一つの理由は
しかし	〜とは異なり	このほか	〜もまた
しかしながら	〜に反して	さらに	
証拠によると	むしろ	しかも	
〜する限りは		〜と一緒に	
そうでなければ		とにかく	
それにもかかわらず			

2 第2幕
データによって示された解決が必要な問題がある

3 第3幕
データ視点を用いて問題を解決する

SO

説明

言い換えれば

主な理由は

考えた末に

結論として

最後に

最終的に〜することを決めた

例えば

私たちは〜する必要がある

レコメンデーション・ツリーを 1 枚にまとめ 意思決定を迅速化する

時には自分の提案を裏付ける資料を何ページも必要とすることがあります。しかし、一般的には提案の裏付けに必要な資料は 1 枚で十分です（ワン・ページャー）。ワン・ページャーは、会議で配布したり、メールで配布したり、意思決定者と検討する際に用いる資料として使用することが一般的です。

企業における施策立案の例

デジタルマーケティングの担当者がデータ分析をした結果、EC サイトの決済シーンにおける顧客体験が、売上の機会損失を起こしていることを発見しました。

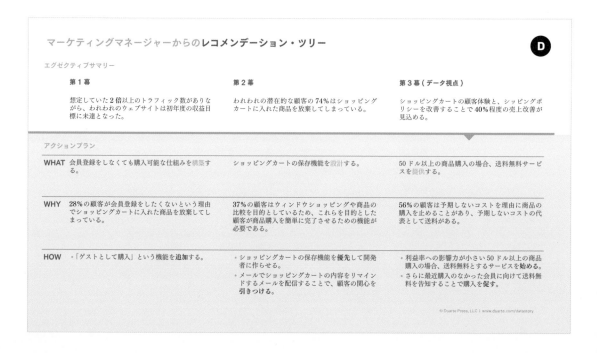

マーケティングマネージャーからの**レコメンデーション・ツリー**　　**D**

エグゼクティブサマリー

第 1 幕	第 2 幕	第 3 幕（データ視点）
想定していた 2 倍以上のトラフィック数がありながら、われわれのウェブサイトは初年度の収益目標に未達となった。	われわれの潜在的な顧客の 74% はショッピングカートに入れた商品を放棄してしまっている。	ショッピングカートの顧客体験と、シッピングポリシーを改善することで 40% 程度の売上改善が見込める。

アクションプラン

	第 1 幕	第 2 幕	第 3 幕
WHAT	会員登録をしなくても購入可能な仕組みを構築する。	ショッピングカートの保存機能を設計する。	50 ドル以上の商品購入の場合、送料無料サービスを提供する。
WHY	28% の顧客が会員登録をしたくないという理由でショッピングカートに入れた商品を放棄してしまっている。	37% の顧客はウィンドウショッピングや商品の比較を目的としているため、これらを目的とした顧客が商品購入を簡単に完了させるための機能が必要である。	56% の顧客は予期しないコストを理由に商品の購入を止めることがあり、予期しないコストの代表として送料がある。
HOW	• 「ゲストとして購入」という機能を追加する。	• ショッピングカートの保存機能を優先して開発者に作らせる。 • メールでショッピングカートの内容をリマインドするメールを配信することで、顧客の関心を引きつける。	• 利益率への影響力が小さい 50 ドル以上の商品購入の場合、送料無料とするサービスを始める。 • さらに最近購入のなかった会員に向けて送料無料を告知することで購入を促す。

© Duarte Press, LLC | www.duarte.com/datastory

アドバイス▶ duarte.com/datastory には、1 枚にまとめたレコメンデーション・ツリーのテンプレートが用意されていますので、ぜひご覧ください。

企業における戦略立案の例

IT ディレクターは、時代遅れのインフラに起因するセキュリティの脆弱性とシステムの維持コスト上昇という問題を抱えています。この問題解決のためにやるべきことを、145 ページの Slidedoc にまとめています[31]。

IT ディレクターからの**レコメンデーション・ツリー**　　Ⓓ

エグゼクティブサマリー

第 1 幕	第 2 幕	第 3 幕（データ視点）
われわれのレガシーなシステムは非常に複雑かつ、システムが分断してしまっている。そのため、システム全体を俯瞰して分析することができず、またセキュリティの脅威に対して脆弱である。	時代遅れの技術を用いたシステムの保守運用、セキュリティの脅威への対応にかかるコストは、同規模の企業と比較したときに割高になっている。また、このようなシステムの保守運用、セキュリティの脅威への対応に伴う不満も多く、システム部門の退職率増加につながっている。	新システムをクラウドベースのシステムに移行することで、保守運用のコスト低減、セキュリティの向上、チーム体制の強化につなげることができる。

アクションプラン

WHAT	分断しているシステムの複雑さを解消する。	IT システム部門の工数を新システムへの移行に集中させる。	クラウドベースのシステムに移管することでセキュリティを向上する。
WHY	分断している複数の異なる技術で作られたシステムの保守運用には多額のコストがかかる。統合されたクラウドベースのシステムを導入することで、システム全体を俯瞰した分析が可能となる。	優秀な IT システム部門のマネージャーたちはヘルプデスク業務まで対応していて非常に多忙な状況である。彼らはこのシステム移管を実現するのに充分な能力を持っている。また、この新しい取り組みを通して彼らのモチベーションもアップするだろう。	新システム上の統合されたセキュリティの仕組みを用いることで、外部に起因するセキュリティリスクを低減することができる。
HOW	・システムをクラウド上に構築する。 ・既存システムのデータを統合したシステムに移管する。 ・ソフトウェアの提供を監査し、必要に応じて新たなソフトウェアをサブスクリプションする。	・社内の優秀人材を特定し活用することで、社外コンサルタントに支払う報酬を最小化する。 ・ヘルプデスク業務を安価なサードパーティベンダーに移管する。 ・新システムの機能を最適に活用するために、新システムのトレーニングを必要とする。	・データガバナンスに関するプロトコルを定め、セキュリティポリシーを見直すことで、セキュリティリスクを低減する。 ・セキュリティリスクが顕在化したときの対策計画を策定する。

原注

はじめに

1   Pamela Rutledge, "The Psychological Power of Storytelling," Psychology Today, January 16, 2011.

2   Lauri Nnummenmaa, et al. "Emotional Speech Synchronizes Brains Across Listeners and Engages Large-Scale Dynamic Brain Networks," Neuroimage, November 15, 2014.

3   Jennifer Edson Escalas, "Imagine Yourself in the Product: Mental Stimulation, Narrative Transportation, and Persuasion," Journal of Advertising (2004).

4   Paul Zak, "Empathy, Neurochemistry, and the Dramatic Arc," YouTube video, posted February 19, 2013, https://www.youtube.com/watch?v=DHeqQAKHh3M

5   Chip Heath, Dan Heath, "Made to Stick: Why Some Ideas Survive and Others Die" (New York: Random House, 2007, 2008).

6   "Writing Skills Matter, Even for Numbers-Crunching Big Data Jobs," Burning Glass Technologies, September 11, 2017, https://www.burning-glass.com/blog/writing-skills-bigdata-jobs/

CHAPTER I：データのコミュニケーターになる

7   John Gantz, David Reinsel, John Rydning. "The Digitization of the World, From Edge to Core," Seagate/IDC, https://www.seagate.com/files/www-content/our-story/trends/files/idc-seagate-dataage-whitepaper.pdf

8   "What's Next for the Data Science and Analytics Job Market?" PwC, https://www.pwc.com/us/en/library/data-science-and-analytics.html

9   Josh Bersin, "Catch the Wave: The 21st-century Career," Deloitte Review, July 13, 2017, https://www2.deloitte.com/insights/us/en/deloitte-review/issue-21/changing-nature-ofcareers-in-21st-century.html

10   Marissa Mayer, "How to Make the Star Employees You Need," Masters of Scale, https://mastersofscale.com/marissa-mayer-how-to-make-the-star-employees-you-need-masters-ofscale-podcast/

CHAPTER II：意思決定者とのコミュニケーション

11 Sujan Patel, "Daily Routines of Fortune 500 Leaders (and What You Can Learn from Them), "Zirtual, August 18, 2016, https://blog.zirtual.com/how-fortune-500-leaders-scheduletheir-days

12 James Kosur, "17 Business Leaders on Integrating Work and Life," World Economic Forum, November 23, 2015, https://www.weforum.org/agenda/2015/11/17-business-leaders-on-integrating-work-and-life/

13 Shellye Archambeau, "Phase 2," January 3, 2018, https://shellyearchambeau.com/blog/2018/1/1/phase-2-7n5gw

14 Kathleen Elkins, "14 Time-management Tricks from Richard Branson and Other Successful People," CNBC, February 17, 2017, https://www.cnbc.com/2017/02/17/time-management-tricks-from-richard-branson-other-successful-people.html

CHAPTER V：分析から行動を生み出す

15 George Miller, "Observations on the Faltering Progression of Science," https://www.ncbi.nlm.nih.gov/pubmed/25751370

16 "Assumptions for Statistical Tests," Real Statistics Using Excel, http://www.real-statistics.com/descriptive-statistics/assumptions-statistical-test/

CHAPTER VI：適切なグラフを選択し所見を記述する

17 Claire Cain Miller, "The Number of Female Chief Executives Is Falling," The New York Times, May 23, 2018, https://www.nytimes.com/2018/05/23/upshot/why-the-number-of-female-chief-executives-is-falling.html

CHAPTER IX：規模感の表現方法を知る

18 Tweet: https://twitter.com/neiltyson/status/995095196760092672

19 Hillary Hoffower, Shayanne Gal, "We Did the Math to Calculate Exactly How Much Billionaires and Celebrities Like Jeff Bezos and Kylie Jenner Make an Hour," Business Insider, August 26, 2018, https://www.businessinsider.in/we-did-the-math-to-calculate-exactly-how-much-money-billionaires-and-celebrities-like-jeff-bezos-and-kylie-jenner-make-per-hour/articleshow/65552498.cms

20 Eric Collins, "How Many Bacteria Are in the Ocean?" August 25, 2009, http://www.reric.org/wordpress/archives/648

21 Kevin Loria, "The Giant Garbage Vortex in the Pacific Ocean Is Over Twice the Size of Texas—Here's What It Looks Like," Business Insider, September 8, 2018, https://www.businessinsider.com/great-pacific-garbage-patch-view-study-plastic-2018-3

22 Apple.com, iPhone 6S Environmental Report, https://www.apple.com/environment/pdf/products/iphone/iPhone6s_PER_sept2015.pdf

23 Len Fisher, "If You Could Drive a Car Upwards at 60 mph, How Long Would It Take to Get to the Moon?" Science Focus, https://www.sciencefocus.com/space/if-you-could-drive-a-car-upwards-at-60mph-how-long-would-it-take-to-get-to-the-moon/

24 Jesper Sanders, "100+ Exclamations: The Ultimate Interjection List," Survey Anyplace Blog, March 23, 2017, https://surveyanyplace.com/the-ultimate-interjection-list/

25 Chris O' Brien, "TED 2013: 'Factivist' Bono Projects Poverty Rate of Zero by 2030," Los Angeles Times, February 26, 2013, https://www.latimes.com/business/la-xpm-2013-feb-26-la-fi-tn-ted-2013-factivist-bono-projects-poverty-rate-of-zero-by-2030-20130226-story.html

CHAPTER XI：データを使ったストーリーテリング

26 Indeed data source: https://drive.google.com/drive/folders/1PmszxlVbtDP_npz5FMbkyOFnfg_s6U2O

27 Stephen Galloway, "An Inconvenient Truth, 10 Years Later," The Hollywood Reporter, May 19, 2016, https://www.hollywoodreporter.com/features/an-inconvenient-truth-10-years-894691

28 "Kurt Vonnegut on the Shapes of Stories," YouTube video, posted October 30, 2010, https://www.youtube.com/watch?v=oP3c1h8v2ZQ

29 Andrew Reagan, "The Emotional Arcs of Stories Are Dominated by Six Basic Shapes," ArXiv, Cornell University, September 26, 2016, https://arxiv.org/abs/1606.07772

30 Ronald Yates, "Study Says All Stories Conform to One of Six Plots," March 26, 2022, https://ronaldyatesbooks.com/2022/03/study-says-all-stories-conform-to-one-of-six-plots/

付録

31 SyberSafe, "A Data Breach May Be More Expensive Than You Think," July 20, 2018, https://sybersafe.com/2018/07/20/a-data-breach-may-be-more-expensive-than-you-think/[1]

---

[1] 訳注：リンクが切れていますが、次のリンクからウェブサイトを確認できます。
https://web.archive.org/web/20191225073308/https://sybersafe.com/2018/07/20/a-data-breach-may-be-more-expensive-than-you-think/

写真提供

CHAPTER II：意思決定者とのコミュニケーション

45　Tim Cook: Getty Images

　　Indra Nooyi: Getty Images

　　Shellye Archambeau:

　　　https://shellyearchambeau.com

　　Richard Branson: Getty Images

CHAPTER IX：規模感の表現方法を知る

153　Steve Jobs: Getty Images

161　Worlds Smallest Computer: IBM Research,

　　World's Smallest Computer,

　　https://creativecommons.org/licenses/by-nd/2.0

CHAPTER X：データを人情味あるものにする

178　Rosalind Picard 博士：

　　Rosalind Picard 博士の許可による

CHAPTER XI：データを使ったストーリーテリング

195　Al Gore, Documentary:

　　An Inconvenient Truth 2006

206　Scott Harrison: Scott Harrison の許可による

207　Scott Harrison: Scott Harrison の許可による

208　Scott Harrison: Scott Harrison の許可による

209　Scott Harrison: Scott Harrison の許可による

210　Scott Harrison: Scott Harrison の許可による

211　Scott Harrison: Scott Harrison の許可による

謝辞

Queen of Everything: Mary Ann Bologoff

Creative Direction: Jay Kapur

Art Direction: Fabian Espinoza, Diandra Macias

Design: Aisling Doyle

Cover Art: Jonathan Valiente

Editor: Emily Loose

Illustrations and Charts: Radha Joshi, Ivan Liberato,
Ryan Muta, Anna Ralston, Shane Tango

Production: Erin Casey, Theresa Jackson, Anna Ralston,
and Trami Truong

Annotations: Tyler Lynch

Proofing: David Little, Emily Williams

Case Study: Kate Devlin, Xiddia Gonzalez

Photo Credits: Dan Gard, Ryan Orcutt

Special Thanks: Trisha Bailey, Chariti Canny,
Dr. R. Joseph Childs, Donna Duarte, Michael Duarte,
Kevin Friesen, Megan Huston, Mike Pacchione,
and Kerry Rodden

索引

現在地（here）から目的地（there）まで聴衆を導く

誰もが素晴らしいアイデアをもっていますが、全員がそのアイデアをうまく伝える才能をもっているわけではありません。戦略、ストーリー、ビジュアライゼーション、コーチングを融合させた Duarte 独自の手法で、皆さんの才能を開花させるためのお手伝いをしています。

Duarte では、数十年にわたり世界の
トップブランドのプレゼンテーション
を制作してきました。私たちが習得し
たプレゼンテーションの技術や、コミ
ュニケーションの技術をトレーニング
として体系化し、共感をベースとした
VisualStory® を使って、あなたやあ
なたのチーム、あるいはあなたの会社
全体がより良いプレゼンテーション、
コミュニケーションをすることができ
るように指導しています。

この指導で用いる Duarte Method™ で
は、あなたのもつアイデアをわかりや
すいストーリーにする方法、ストーリー
を伝える相手の視覚に訴える方法、そ
してストーリーを伝える相手と**共感を
ベース**につながる方法を教えています。

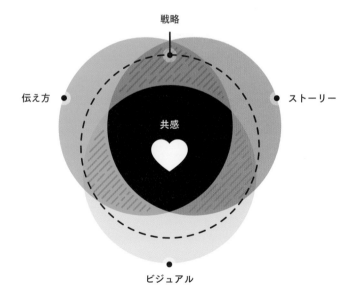

【訳者紹介】

渡辺翔大（わたなべ　しょうた）PART 4、まとめ 担当
関西学院大学在学中に大学公式アプリを開発・同大学へ譲渡。卒業後慶應義塾大学メディアデザイン研究科へ進学し、イギリス王立美術院（Royal College of Art）への留学や未踏採択、在学中の起業を経て株式会社リクルートに入社。主に ToB 向けのアプリケーションのデザイン戦略から UI デザインまで担当している。旅行事業者向けサービスで Good Design Award の受賞後、現在はデザイナーとして活動しながら複数企業のコンサルティングも行っている。

木村隆介（きむら　りゅうすけ）はじめに、PART 3、付録 担当
株式会社日立製作所横浜研究所在籍時は機械学習を用いた生産管理や品質管理のテーマを担当。現在は株式会社リクルートにてデータサイエンティストとして宿泊施設向けのサービス開発や、SaaS 事業におけるデータ組織のグループマネージャーを務める。特許取得や学会発表、大学の非常勤講師、講演など実績多数。情報処理学会ビッグデータ研究グループ運営委員。訳書にマイケル・フリーマン著『データサイエンスのための R プログラミングスキル』（共立出版、2021）。

宮下彩乃（みやした　あやの）PART 1、2 担当
イギリスのエジンバラ大学生物学部を卒業し、ケンブリッジ大学獣医学部（中退）を経て、国際的な公衆衛生に携わるべく、東京医科歯科大学・大学院医歯学総合研究科に進学。修士課程を修了、現在博士課程に在籍中。帰国後は国際開発コンサルティング会社で国際協力機構や各国政府の開発案件入札・管理業務に携わりつつ、大学院において、東南アジアやアフリカでのデータ採集や実装研究に従事し、論文執筆や学会発表などの実績を残している。

DataStory
―人を動かすストーリーテリング―

原題：*DataStory: Explain Data and Inspire Action Through Story*

2022 年 9 月 10 日　初版 1 刷発行

検印廃止
NDC 336. 49, 548. 96, 336. 3

ISBN 978-4-320-00612-6

原著者　Nancy Duarte（ナンシー・デュアルテ）
訳　者　渡辺翔大・木村隆介・宮下彩乃　　© 2022
発行者　南條光章
発行所　**共立出版株式会社**

〒112-0006
東京都文京区小日向 4-6-19
電話　（03）3947-2511（代表）
振替口座　00110-2-57035
www.kyoritsu-pub.co.jp

印　刷　精興社
製　本　ブロケード

一般社団法人
自然科学書協会
会員

Printed in Japan